CHAVISMO, NARCOTRÁFICO Y MILITARES
Conversaciones
con
Mildred Camero

Héctor Landaeta

editorial
Libros marcados

Primera edición: Mayo 2014

Editorial Libros Marcados, C.A
librosmarcados3000@yahoo.com
Tlf. 0212-4145510
Impreso por Editorial Melvin

Libros Marcados

Impreso en Venezuela

A mi padre, Héctor Landaeta Sanoja, quien me ensenó la pasión por la historia, la poesía y las humanidades.

A mi madre, María Antonia Marrero, quien me enseñó a amar, de tanto amor que me dio.

Donde estén...

PRÓLOGO

En septiembre de 2013, mil trescientos kilos de cocaína fueron decomisados por las autoridades francesas en la capital de ese país. La droga había sido enviada desde Caracas en 30 maletas que viajaron en un avión de la línea Air France, el cual había partido desde el aeropuerto internacional de Maiquetía.

El escándalo mundial por este hecho no se hizo esperar. Resultaba insólito que una cantidad tan grande de droga pudiera haber sido introducida en un avión comercial en el aeropuerto más importante de Venezuela. Cualquiera supondría la existencia de una vigilancia rigurosa, un control de seguridad estricto, puesto que las autoridades gubernamentales venezolanas venían admitiendo que el país es utilizado como vía de paso para una importante cantidad de droga que es comercializada a escala planetaria.

Si el hallazgo en sí, ya era un escándalo, el mismo se potenció cuando se comprobó que en toda la operación para capturar el referido alijo de alcaloide habían participado las policías de España, Inglaterra, Holanda y Francia, pero no la de Venezuela. ¿Qué significaba esto? Pues algo muy grave: las autoridades policiales de los referidos países desconfiaban de sus pares venezolanos, por lo que prefirieron dejarlos a un lado.

¿A qué se debía dicha desconfianza? La respuesta la tiene usted en sus manos. Si bien este libro no está referido exclusivamente al decomiso de la droga del avión de Air France, la información que revela pone de manifiesto cual es la profundidad de la penetración del narcotráfico dentro de la estructura policial y militar del país, es decir, entrequienes tienen el deber de enfrentarlo.

La juez Mildred Camero fue nombrada por el ex presidente Hugo Chávez para que encabezara la Comisión Nacional Contra el Uso Ilícito de las Drogas (Conacuid). Desde el momento en que le ofreció dicho cargo, Camero le expresó que no era simpatizante de su proyecto, pero en un extraño momento de amplitud política, el fallecido presidente le ratificó el ofrecimiento y la designó su presidenta.

Su desempeño en los tribunales fue el motivo para ofrecerle tan importante cargo. Ser estricta, actuar apegada a la ley, no tener miedo a la hora de dictar una sentencia, fueron las razones para tal designación. Camero no defraudó las expectativas mientras estuvo al frente de la Conacuid, pero sí molestó mucho a quienes se benefician del tráfico y consumo de drogas, y desde diferentes ángulos trataron de entorpecer su labor y se confabularon para lograr sacarla de la institución. Camero sostiene con el experimentado periodista Héctor Landaeta numerosas conversaciones durante más de un año, en ellas va relatando lo que significó esa experiencia, explica como estructuró un equipo sólido para hacer frente al tráfico de drogas, señala quienes fueron sus verdaderos aliados en esta lucha, y quienes, incumpliendo con su juramento trabajan para los carteles del narcotráfico.

En este libro se habla de diferentes casos que conmocionaron a la opinión pública, entre ellos el protagonizado por Walid Makled, el narcotraficante venezolano más famoso y cuyo juicio pareciera estar paralizado.

Mildred Camero asume la responsabilidad de mencionar los nombres de altos jefes militares de la fuerza armada nacional, vinculados al chavismo, a quienes atribuye un comportamiento alejado de los valores que dicen defender. Altos oficiales, muchos de ellos generales aparecen señalados con sus nombres como parte importante de los carteles que se lucran con este negocio tan dañino para la juventud y la sociedad en su conjunto. Camero siempre precisa que no es la institución armada la que esta comprometida, que se trata de casos particulares de varios de sus integrantes. En el libro aparecen importantes dirigentes del chavismo, como el ex vicepresidente José Vicente Rangel, a quien Camero asigna un papel poco decoroso en la trama que lleva a su salida. Esos esfuerzos de Rangel por sacarla del cargo, la llevan a preguntarse por la posición de éste frente al tráfico de drogas. Su gestión, asegura, en definitiva fue saboteada, torpedeada y atacada, hasta lograr convencer a Hugo Chávez de la conveniencia de retirarla del cargo. En sus reflexiones Camero da un giro importante al tema global de las drogas al considerar que Venezuela no es un país "de paso", sino que una parte importante de ellas se comercializa internamente, hay un mercado endógeno, y que la lucha por el control de ese mercado tienen enorme incidencia en la violencia y la inseguridad que agobia a los venezolanos. No hay dudas, un gobierno serio iniciaría de inmediato una investigación profunda de todo lo planteado en este libro.

Teodoro Petkoff

CONVERSACIONES CON MILDRED CAMERO

La corrupción no es nueva en el mundo y en Venezuela por estos tiempos cabalga sin piedad sobre la sociedad en general, provocando una descomposición social preocupante. Para no irnos tan lejos en el tiempo, en la hoy satanizada cuarta República la llamada sociedad de cómplices tuvo un efecto devastador en la institucionalidad del país, con un engranaje desbocado de funcionarios corruptos en los estratos civil y militar que a finales del siglo pasado convirtió a nuestra Tierra de Gracia en tierra de nadie, para aventuras inmorales y criminales que tomaron por asalto a un pueblo esperanzado en ideales de libertad, democracia y justicia social. Habría mucho que contar sobre políticos, jueces, militares y empresarios envilecidos que provocaron la crisis en que estaba sumida la nación a finales del siglo pasado. Hubo presidentes que ampararon la corrupción bajo la borrachera del poder y hoy aparecen defenestrados por una nueva élite política civil y militar que gobierna el país.

Hoy, en nombre del llamado socialismo del siglo XXI o revolución bolivariana, la historia se repite y sin detenerse las garras de la corrupción paralelamente se ha desarrollado un proceso totalitario que asfixia gradualmente la libertad, la democracia y la justicia social. Pero lo realmente grave del periodo actual que comenzó y continúa con la insurgencia y llegada al poder de Hugo Chávez, es que en Venezuela se ha instalado un gobierno de pretensión totalitaria que ha destruido el estado de derecho y el aparato económico productivo del país. Y lo verdaderamente alarmante es que el negocio del narcotráfico ha penetrado las entrañas del estado a través de una élite acompañada de un nutrido grupo de militares quienes ocupan cargos relevantes en el alto gobierno que hoy preside Nicolás Maduro, varios de ellos señalados internacionalmente en la conocida lista Clinton.

Además trabajan operadores políticos corruptos que han ocupado y ocupan altos cargos en estos últimos quince años de chavismo en el poder. Son funcionarios que vienen haciendo negociados desde la cuarta República entre quienes destacan dirigentes políticos, funcionarios policiales, jefes del CICPC, el SEBIN y militares de alto rango en la fuerza armada nacional bolivariana.

Son muchos los nombres que afloran en nuestra conversación con Mildred Camero, una jueza a quien el expresidente Hugo Chávez le pidió en 1999 asumir la presidencia de la CONACUID para combatir el narcotráfico en Venezuela y a quien luego de seis años de fructífera labor ordena sustituirla tras las múltiples presiones ejercidas por quienes observaban en pánico como desde la CONACUID, trabajando con la DEA y la inteligencia británica, la jueza Camero comenzaba a develar el entramado delincuencial de los generales de la revolución. Son impactantes las pequeñas y grandes historias del enfrentamiento entre los militares y capos civiles por controlar el gran negocio de las drogas. Destacan además en estas páginas detalles no conocidos sobre la corrupción en la administración de justicia que la jueza Camero pudo presenciar y juzgar durante su amplia trayectoria como magistrada del Poder Judicial venezolano.

–En una de sus declaraciones públicas, usted hace unos meses señaló que todo el gobierno venezolano estaba ya penetrado por el narcotráfico y habló incluso de un narcoestado en Venezuela. ¿Cuál es su percepción hoy del país en ese sentido?

-La respuesta sin duda alguna, sería negativa, ya que en nuestro país el tráfico de drogas es bastante grave, dado que a diferencia de otros países latinoamericanos, en Venezuela el negocio de las drogas, lo manejan no necesariamente los grupos civiles, sino que aparecen involucrados miembros del estamento militar, funcionarios del alto gobierno y los cuerpos policiales venezolanos. La situación es bastante compleja, porque estamos hablando de instituciones que tienen por fin único la seguridad del país. A veces pienso que la élite política venezolana, cree que la inseguridad es solo un reflejo de la delincuencia común, y de la incapacidad de los órganos competentes del estado para afrontarla, cuando la situación va mucho más allá. No es solo delincuencia común, o una simple corrupción o incapacidad del estado para abordarla. En primer lugar tenemos que tener claro, cómo la delincuencia organizada hace vida en el país, ¿cómo?, parte de esa delincuencia común es consecuencia de alguna manera de esa delincuencia organizada que actúa como un pulpo y se ha venido posicionando como parte de la globalización que envuelve el mundo, a través de los avances de la tecnología. Quienes hemos trabajado durante mucho tiempo en áreas vinculadas al tema de la seguridad, hemos visto como la delincuencia ha ido evolucionando, es decir, antes los crímenes no eran tan grotescos, como sí lo son hoy en día, eran casos muy aislados. Pero lo que vemos hoy es que a una persona se le da muerte, pero es violada, o se le corta en pedazos, lo que el Código Penal describía como delitos con ensañamiento y alevosía eran pocos comunes. Sin embargo, hoy las muertes violentas y con saña forman parte de esa nueva dinámica de la delincuencia, producto de una realidad emergente que ha venido a sustituir sin duda alguna situaciones anteriores de sociedades muchos más estables, más conservadores y por supuesto menos adelantados desde el punto de vista tecnológico. Un caso emblemático y que demuestra cómo ha avanzado de manera sofocante y sin ningún tipo de limitaciones la inseguridad en nuestro país, fue sin duda la muerte de la actriz Mónica Spear y su ex-esposo delante de su pequeña hija de apenas cinco años de edad. El mundo pudo apreciar como la inseguridad cogió fuerza en Venezuela desde la llegada al poder de Hugo Chávez, aun cuando el gobierno se había esforzado en difundir lo contrario.

-¿Cómo es esto que usted ha afirmado recientemente de que el mundo del narcotráfico y las drogas ha tomado por asalto al gobierno?

- Las drogas, como uno de los delitos rentables de la delincuencia organizada, han dado un giro a las diversas sociedades en el mundo. Su influencia ha sido devastadora, sobretodo en sociedades como la nuestra, en donde el patriarcado del estado se ha hecho sentir de manera tajante y en donde los ciudadanos somos una especie de fieles seguidores de nuestro *páter famiglia* (padre de familia). La llegada de la droga nos agarró por sorpresa, el estado venezolano no midió su trascendencia desde el punto de vista jurídico como social, como está ocurriendo en la actualidad con la delincuencia organizada. Los venezolanos creímos que a nosotros no nos iba a pasar lo mismo que en Colombia. El *páter famiglia* nos iba a defender y a proteger de ese mal. Sin embargo, el estado no tomó las precauciones necesarias, el problema se le fue de las manos y no previmos la llegada al poder de gobiernos corruptos, sobretodo de gobiernos enquistados en raíces militares, con ideas castro-comunistas y una gran ambición de poder y de dinero, producto de negocios sucios o deshonestos.

No quiero decir con esto que en el pasado no hubiera corrupción derivada del tráfico de drogas, pues hubo oficiales que incursionaron en actividades ilícitas como producto del contrabando de drogas. Jueces, fiscales, policías científicas estadales y municipales y hasta diputados al Congreso de la República que se involucraron en ese mundo. Tampoco voy a negar que muchísimos funcionarios policiales, judiciales y fiscales se beneficiaron durante la instrucción de un expediente por uno de los delitos previstos en su oportunidad en el Código Penal y posteriormente en las sucesivas leyes de drogas promulgadas, pero a pesar de que sabíamos que había cierta corrupción dentro del Poder Judicial y demás órganos auxiliares de la administración de justicia, había jueces, fiscales y policías honestos, con vocación de servicio y preparados académicamente. Sin embargo, el periodo de mayor penetración y contacto con el tráfico de drogas que ha vivido Venezuela fue y ha sido durante los 14 años de mandato del fallecido presidente Hugo Chávez. Las razones son obvias, Chávez apoyó a las Fuerzas Armadas revolucionarias de Colombia (FARC) y estas son en los actuales momentos la organización terrorista y traficante de drogas más importante del mundo. Hace mucho tiempo que este grupo guerrillero le quitó el negocio de las drogas a los carteles y organizaciones civiles, para así poder financiar la compra de armas para su supuesta lucha política. Hoy en día el poder del tráfico de drogas reposa en las FARC y con ellos el poder militar venezolano.

-¿*Cuáles son sus argumentos para hacer esa sentencia final que atribuye el control del narcotráfico a la alianza FARC y el poder militar venezolano?*

-Por eso yo hablo de dos momentos históricos en Venezuela cuando el problema de las drogas deja de ser un problema doméstico, con relativa importancia para los gobiernos democráticos de turno, para convertirse en un grave problema de trascendencia internacional. En el primer momento estaba presente el problema, no tenía grandes dimensiones, pero había las herramientas humanas, legales y la logística para enfrentarlos aun cuando no era visto por el estado como un peligro para su seguridad y defensa de sus ciudadanos. El otro gran momento tiene dos vertientes: la primera tiene que ver con la llegada de Hugo Chávez al poder y la segunda con la aplicación del plan Colombia. Increíblemente las dos se complementan y te explico por qué.

Estando como vicepresidenta de la CICAD-OEA, (año 1999) se discutió, se presentó y desarrolló el plan Colombia, que generó una serie de discusiones y enfrentamientos en el seno de la reunión. Principalmente los países andinos teníamos muchas dudas sobre los resultados de la misma. Le tocó al ministro de justicia de Colombia, para la época Mauricio González, hacer la presentación y por supuesto surgieron dudas, la más importante:¿qué iba a pasar cuando comenzara la presión militar a las FARC, (que para la época Colombia reconocía que estaba dedicada a traficar con drogas) y las demás organizaciones paramilitares y civiles dedicadas al negocio de drogas y estos o partes de sus colaboradores o los propios habitantes aterrorizados se desplazaran hacia los países vecinos, principalmente Venezuela, Ecuador y Panamá? yo estaba convencida de que una vez que se ejecutara el plan de inmediato iban a comenzar los desplazamientos, como efectivamente sucedió.

-¿*Y por qué atribuye a la llegada de Hugo Chávez al poder la causa de la conformación del binomio FARC-militares venezolanos en el control del narcotráfico?*

-El gobierno de Hugo Chávez con una ideología izquierdista, afín con la de los grupos subversivos colombianos y muy especialmente con las FARC, conforman el binomio perfecto para servir de caldo de cultivo al tráfico de drogas trasnacional. Por ello, el tema de las drogas se ha agravado pues quienes dirigen el negocio, ya no operan en Colombia sino desde Venezuela. Parte de la droga viene del hermano país, pero su traslado, que anteriormente era de alguna manera controlado por nuestros órganos de seguridad de estado, hoy en día son ellos mismos lo que facilitan ese traslado y el destino de la misma. Lo que ayer fue un trabajo coordinado por los cuerpos policiales con el fin de abortar operaciones de tránsito o traslados de drogas, hoy por el contrario, estamos sobre una plataforma sólida, con el involucramiento de grupos civiles y militares que se han enriquecido con el negocio, sin importarle el daño que producen las drogas en la sociedad y en la economía de un país.

-Eso que usted afirma más que complicidad sería una actitud forajida del gobierno...

-Es lo que tenemos en nuestro país, hoy por hoy, un gobierno que igualmente que los anteriores no le ha dado la más mínima importancia al problema, que ha hecho leyes al respecto más por conveniencia que por propia voluntad política. Por eso quienes hemos trabajado el tema de las drogas nos hemos sentido muy frustrados porque ha sido tanto la apatía del estado, que teníamos el problema al lado, que sabíamos que nos podía salpicar y hemos hecho muy poco para afrontarlo ni abordarlo. Estamos seguros que somos un país de tránsito, no porque estemos convencidos de serlo, sino porque los organismos internacionales nos los dicen. Descubrimos laboratorios en nuestro territorio para la producción de drogas, y nos preguntamos si somos o no un país productor o fabricante sobretodo de cocaína. Vivimos deteniendo a los traficantes más buscados del mundo en nuestro país y aún no estamos convencidos de que Venezuela se ha convertido en el paraíso para los grandes negocios de la drogas. Contamos con un gran grupo de oficiales de nuestras fuerzas armadas y cuerpos policiales involucrados en el negocio de drogas y todavía creemos que en verdad tenemos ganada la guerra y que la droga que sale de Venezuela con otros destinos y la que se queda en el país, es producto de una sensación de inseguridad creada por los medios de comunicación social y la mente de grupos de desadaptados que viven de la fantasía.

-Esa situación que usted describe hace imposible luchar contra el narcotráfico en Venezuela, pues estaríamos involucrados en el negocio...

-Ninguna de estas personas pueden ser considerada como traficante de drogas, porque aún en nuestro país, no se le ha abierto ningún proceso penal, ni ninguna investigación, aun existiendo una investigación o habiéndoseles incoado un juicio en sus contra, no existe ninguna sentencia que los haya declarado como responsables penalmente de los hechos de que se les imputa o se dice que están involucrados. Lo que pasa es que no ha habido la voluntad política para abrir una investigación seria y profunda por las miles de denuncias hechas sobre todo contra algunos miembros de nuestra FAN y demás órganos de seguridad de estado. Y digo algunos miembros, porque estoy convencida de que son pequeños grupos deshonestos, ávidos de poder y riqueza que han empañado la labor de años de trabajo transparente de muchísimos oficiales, comisarios, detectives conocedores del tema de la represión (interdicción) en drogas. De manera que corresponde a las autoridades judiciales de nuestro país aclarar la situación legal de estos venezolanos que de alguna manera aparecen relacionados a actividades ilícitas producto del tráfico de drogas y la legitimación de capitales (lavado de dinero).

-Si es así difícilmente aparecerá esa voluntad política para investigar y castigar porque sería entonces escupir para arriba como reza el dicho. ¿Quién le pone el cascabel al gato?

-Sí, veo muy difícil que durante este régimen, las dudas se aclaren y las personas mencionadas por cualquier medio logren un reconocimiento público, e incluso las personas afectadas deberían estar interesadas en que se iniciara una averiguación para así poder demostrar su inocencia y hacer frente a cualquier insinuación o rumor al respecto. Mientras tanto las dudas persisten, muy especialmente sobre aquellas personas que han sido y siguen siendo investigadas, y cuyos nombres han salido a la luz pública por medio de listas, documentos, grabaciones, videos o informes de inteligencia. Pero estoy convencida de que la verdad será pública, cuando de nuevo rescatemos la democracia. Afortunadamente los delitos por tráfico de drogas, legitimación de capitales y la corrupción constitucionalmente son "imprescriptibles" es decir, no prescriben con el tiempo.

-Cuando habla del poder militar venezolano, ¿a quiénes se refiere, cuál componente de las FAN en concreto?

-En efecto, siempre se ha hablado de la participación de grupos de militares, sobretodo de nuestra guardia nacional, en el tráfico de drogas y luego entra el ejército con todo su poder. Se ha mencionado mucho el llamado cartel de los soles, como alusión a los soles que llevan estos oficiales en sus uniformes. Cartel como tal, nunca ha sido, pero en Venezuela se le comenzó a llamar así, como por una costumbre y quizás en imitación a los carteles de drogas colombianos de Medellín y Cali. Probablemente lo único común que tenían con ellos, era que sus miembros participan en el tráfico de drogas, por lo demás los cárteles eran organizaciones muy complejas e incluso muy diferentes a las mafias italianas, en cuanto a estructuras, modus operandi, actividad delictivas etc.

-¿Cómo comienzan estas actividades en Venezuela, cuáles son los antecedentes más cercanos a esta actividad febril por parte del estamento militar?

-Hace muchos años operaban en Venezuela grupos u organizaciones criminales extranjeras dedicadas al tráfico de drogas, particularmente colombianas. Los nativos participamos pero por lo general como peones nunca como "capos o "jefes" en el sentido estricto de la palabra. Además, los movimientos o actividades que estos grupos desplegaban eran muy específicos, como por ejemplo organizar los ingresos así como los envíos de las drogas, protección de la carga, el aseguramiento de la misma al lugar de destino, buscar los contactos, el pago por sus servicios, la protección de las personas o confidentes, el resguardo de los lugares o sitios en donde se guardaba la droga. La participación de la GN y de los cuerpos policiales, básicamente radicaba en dejar pasar la droga a nuestro país y ayudar a sacarla, cuidar las rutas, no permitir los tumbes por parte del Ejército de Liberación Nacional /ELN), otros grupos subversivos, bandoleros y secuestradores que siempre han deambulado por las zonas fronterizas.

-¿Es decir que el control del negocio estaba realmente manejado por otros sectores fundamentalmente colombianos y de otras nacionalidades?

-Evidentemente, nuestros cuerpos policiales y militares cobraban grandes cantidades de dinero en dólares, que es la moneda que se utiliza en estos trueques, por cooperar, vigilar y supervisar todas las actividades realizadas por los traficantes por tierra, aire y mar venezolanos; y sobretodo llevar a buen término la operación o contrabando de alijos de drogas. Esto no significa que no existieran casos aislados de tráficos de drogas realizados por nacionales, pero siempre bajo la conchupancia de personas colombianas o de otras nacionalidades, sobretodo de países de la región andina. Para esa época la actuación de los militares era muy tímida, la guardia actuaba bajo la tutela de la responsabilidad y lealtad a la patria soberana, su lema el honor es su divisa, los incentivaba a cumplir con sus responsabilidades y por tal motivo la droga era decomisada, pero a su vez reciclada y utilizada en muchas oportunidades como represalia contra sus presuntos enemigos.

-¿Quiere decir que otros organismos del estado venezolano estaban involucrados en el narcotráfico?

-Claro, la antigua Policía Técnica Judicial (PTJ), se valió de su competencia en la materia para hacer y deshacer con los decomisos, muchos de los comisarios se hicieron ricos, pagaban por el silencio a quienes tenían conocimientos de sus andanzas, pero los extorsionados utilizaban la misma práctica que la guardia nacional, la siembra de la droga. Incluso se puso de moda, en los tribunales la gran mayoría de los casos por drogas, eran las llamadas "siembra de drogas", otra veces eran los tumbes, y le colocaban pequeñas cantidades a los traficantes para dejarlos detenidos y la otra parte de la droga decomisada era negociada a otros grupos o a los propios traficantes a quienes les tumbaban la droga. Por lo general los "tumbes" lo hacían los civiles, pero los funcionarios policiales y militares se aprovechaban de la adjudicación y venta de la droga. Era raro, que la droga perteneciera a los cuerpos policiales, ya que por lo general, ellos solo actuaban como garante de las actividades ilícitas de las bandas criminales. Por supuesto que cuidaban su pellejo y su bolsillo, por eso estaban muy atentos cuando se perdía la droga, ellos cuidaban las rutas y por lo tanto a quienes se les iba el yoyo como solían decir lo sembraban, así como al que se le ocurría hacer tumbes, de igual manera corría con la misma suerte. Para esa época la droga era un tabú y los tribunales se cuidaban mucho de los juicios de drogas.

-¿Por qué?

-Los jueces que no actuaban ajustados a derecho, eran mal vistos y se le denominaba "narcojueces". La gran mayoría de los jueces penales se cuidaban mucho y más bien confundían a traficantes con simples consumidores. Había una prohibición expresa en el código penal y en la ley de drogas del 84, en donde no se le podía dar la libertad a los enjuiciados por tráfico de drogas, muchos cayeron justos por pecadores. De aquí que las décadas de los 80 y 90 que me tocó vivir como jueza fue muy difícil, pero se aplicaba la justicia, por lo menos a lo que a mí concierne, sin diferencias de ninguna clase. Quizás fui la juez que conoció más casos de drogas en Caracas, la que obtuvo mayor formación en la materia y esto se debió a un interés profesional más que personal, de conocer cómo en realidad era ese mundo y cómo funcionaba en la práctica. Mi formación penal y criminológica, así como la experiencia de haber vivido en el exterior, en países desarrollados, en donde las drogas han hecho estragos, probablemente haya influido en mí, y de allí la curiosidad por llegar al fondo del problema e investigarlo a profundidad.

-¿Cómo pasan nuestros cuerpos policiales y militares de ser simples colaboradores de los traficantes de drogas en el país a convertirse en operadores y dueños del negocio, reemplazando casi totalmente a las organizaciones civiles?

-Como lo señalé al principio, los funcionarios policiales y militares encargados de investigar el tráfico de drogas en el país, se limitaban a recibir dinero o simplemente extorsionar a los grupos civiles de traficantes, para que estos pudieran ingresar y sacar las drogas, igualmente a custodiar las rutas terrestres marítimas y aéreas, e incluso supervisar las operaciones de tráfico y garantizarles su buen resguardo y destino final. Así como la protección a personas dedicadas al comercio y contrabando de drogas. Probablemente existió quien de alguna forma se quedaba con la droga productos de algún tumbe, pero el precio a pagar era muy alto, porque estas organizaciones siempre han movido muchísimo dinero y poder, para comprar conciencia a las más altas esferas. Sin embargo, la presidencia de Hugo Chávez agregó un elemento nuevo a este conflicto, cuando en el año 2005 se le da competencia a todas las fuerzas armadas en materia de drogas. Hasta ahora habíamos visto a la GN y al CICPC, envueltos en líos de drogas, muy esporádicamente el ejército, la fuerza aérea y quizás la marina con mayor participación pero siempre actuando a muy bajo perfil. Con la reforma de la ley de drogas el ejército obtiene mayor protagonismo en operaciones de drogas y comienza la competencia no solo con la GN, sino con las policías científicas y preventivas y los grupos u organizaciones civiles. Se desata prácticamente una guerra entre estos, en donde adquiere un papel preponderante, el ejército, sobre todo aquellos oficiales que de alguna manera habían formado fuerza con el finado presidente en el golpe de estado del 4 de febrero de 1992, y que en la actualidad ostentan el grado de general. de la misma forma cómo se comenzó a llamar el "cartel de los soles" de manera incorrecta a los generales actuantes de la GN en el tráfico de drogas, se les denominó a este grupo de militares adeptos al gobierno revolucionario, el "cartel" del ejército o también el cartel " revolucionario".

EL IMPERIO MAKLED

La aparición del narcotraficante Walid Makled es el punto de partida crucial de la guerra encarnizada que comenzó entre delincuentes civiles y militares a comienzos del siglo XXI por el control del poder económico que genera el narcotráfico. El Trabajo de la jueza Mildred Camero contra este delito se venía desarrollando desde el Poder Judicial y por supuesto se desplegó con toda su fuerza al asumir la presidencia de CONACUID. Un camino lleno de espinas. Con muchos poderosos en el camino y el gran operador político José Vicente Rangel, quien desde la Vicepresidencia se encarga de poner obstáculos y barreras a su labor, aliado con el entonces poderoso jefe del comando antidrogas de la Guardia Nacional general Frank Morgado. Estos dos personajes logran finalmente ¿convencer? al ex presidente Hugo Chávez, a decidir su salida de la CONACUID con sórdidos argumentos según los cuales supuestamente la jueza trabajaba con la DEA en un poderoso aparato de espionaje en el país. Resulta inexplicable que tras esa acusación no se hubiera hecho otra por traición a la patria, que es lo menos que supone esa actividad y no hubieran puesto tras las rejas a la jueza. Ya Rangel en una de las confrontaciones que había tenido con ella que se revela en estas páginas, le había advertido: "doctora Camero usted es una mujer peligrosa". Lo cierto de todo es que Mildred Camero y su equipo de trabajo en la CONACUID, asistidos con la DEA, que operaba legalmente en el país y el grupo de inteligencia británico comenzaron a golpear con fuerza las operaciones del narcotráfico en Venezuela. Así la CONACUID comenzaba a convertirse en una amenazaba implacable para los más caros intereses de algunos generales venezolanos, innumerables funcionarios policiales y del mundo político y los famosos operadores corruptos que tanto daño han provocado y provocan en la Venezuela de nuestros días. Obviamente las reacciones de pánico de los grupos delincuenciales se transformaron en una maquinaria de presión contra la jueza, pues se estaba desnudando la inmensa miseria humana extendida como metástasis con el cartel de droga entronizado hasta nuestros días en los altos resortes del poder del gobierno venezolano.

-*¿Cómo llega usted a la CONACUID ?*

-Antes de que ganara Chávez hay alguien que me contacta en diciembre y me dice que quieren hablar conmigo, es Carlos Tablante, me invita a comer, yo estaba en los tribunales, él estaba apoyando a Chávez, yo siempre tuve buenas relaciones con la CONACUID desde que estaba Tablante, Romero Lizárraga y Domínguez. Y estuve en muchas conferencias fui al exterior en temas de drogas invitada por ellos, hasta visité una fábrica en San Diego California, encargada de fabricar los arcos utilizados en los aeropuertos para la detección de droga. Tablante es amigo mío desde hace mucho tiempo, lo conocí cuando era diputado al Congreso. Me llama por teléfono y me dice mira Mildred están buscando gente para la CONACUID y yo creo que tú eres la persona ideal para ese cargo. Hablé con Luis Miquilena, y le dije que tú eras la persona indicada ni siquiera le he dicho a Chávez, pero ya lo conversé con Don Luis. Y me dice yo veo como te involucras en las investigaciones, he visto expedientes tuyos que están muy completos, tú eres muy operativa y conoces de drogas. Me dijo vente a la CONACUID, que Domínguez se quiere ir porque se va como viceministro. Yo estaba en esos momentos haciendo una suplencia como juez superior. Le dije déjame pensarlo, de verdad no estaba muy convencida, a pesar de que me entusiasmaba la idea. Pero también pensaba en la parte política que en ese momento no me llamaba la atención ya que estaba dedicada por completo a mis funciones como juez. Gana Chávez y me dicen que acepte, yo les digo que no soy chavista, ellos me aseguran que con Chávez no habrá exclusión y que no importa de qué partido fuera. Me llamaba y me llamaba y yo no quería ir, piénsalo bien Mildred me decía. En ese momento también yo tenía otro problema, tenía una espada de Damocles que era un abogado llamado Juan Garantón quien me denunciaba por todo, era el abogado de Rafael Alcántara, un tipo fastidioso que estaba molesto porque le había dictado auto de detención a su cliente. El abogado era obsesivo, tanto fue que yo tuve que enviar un oficio al Consejo de la Judicatura, ya que se asociaba a todas las defensas por juicio que cursaban ante el tribunal a mi cargo para tener la oportunidad de recusarme o para que yo me tuviera que inhibir. Era una cosa impresionante, ya no era una cuestión legal sino de fastidiarme, yo me pasé casi cinco años defendiéndome ante el Consejo de la Judicatura de las diferentes denuncias que él y otros abogados interponían en mi contra. Con todo este problema profesional encima, y porque estaba cansada yo decido llamar a Carlos y decirle que sí estaba dispuesta aceptar el cargo en caso de que en verdad me lo ofrecieran pero con la condición de irme en comisión de servicio. Llamo a Tablante y le digo que sí a su oferta pero que en comisión de servicio porque no estaba dispuesta a perder la carrera judicial. Me dice la cosa está difícil porque hay mucha gente detrás de ese cargo, yo voy a conversar con Miquilena y vamos a ver si almorzamos y así fue y parece que le caí bien, una persona muy simpática y amable. Bueno pasa el tiempo, yo daba clases de noche en la Universidad, salía del tribunal y me iba a dar clases y llegaba muy tarde en la noche. Un día cansada del trabajo, llego a mi casa era como las 11pm y suena el teléfono y me dicen estamos llamando de Miraflores, la está llamando el Presidente de la República y yo dije dejen la mamadera de gallo porque estoy muy vieja para la gracia y cierro el teléfono. Luego vuelve a sonar y dicen le voy a pasar al doctor Luis Miquilena, y me dice doctora Camero cómo está es Luis Miquilena, la estoy llamando porque el presidente Chávez la quiere nombrar a usted ministro de Estado, Presidente de la Comisión Nacional Contra el Uso Ilícito de Drogas (CONACUID), le voy a pasar al Presidente. Él me dice cómo está doctora, me han dicho que usted es la persona idónea para este cargo, me la han recomendado, dicen que usted es muy buena profesional, que es una persona honesta y muy íntegra y que es una de las personas que más conoce de drogas en este país, tiene muy buenas relaciones con la embajada americana, que por cierto me la han recomendado muy bien.

Yo le digo pero señor Presidente yo no voté por usted, se me sale y se lo digo, y me dice no importa, sé que usted es una mujer honesta y le voy a demostrar que yo quiero gobernar con todo el mundo. Yo le digo bueno señor Presidente si es así, bien, acepto. Bueno Mildred te paso a Miquilena para que te pongas de acuerdo con él y cuando contesta el doctor Miquilena le digo sí, acepté, pero con la condición de irme en comisión de servicio, ya que no quiero perder mis años de servicio en la carrera judicial. Posteriormente me reuní con Gisela Parra, ella ya estaba al tanto del asunto, ya que la habían llamado de Miraflores y el consejo ya estaba realizando todos los trámites para la comisión de servicio. Pasó casi un mes hasta que me llamaron de Miraflores y me dijeron doctora ya está listo su nombramiento mañana sale en Gaceta Oficial.

YA LA JUEZA CONOCÍA EL FLAGELO

La jueza Mildred Camero es una de las magistradas que manejó más casos de narcotráfico y drogas en general durante los años que estuvo en el Poder Judicial. Cuando no pensaba que iba a llegar a dirigir la CONACUID ya la jueza no solo conocía de expedientes y sentenciaba sino que se fue interesando cada vez más en un problema que ya hoy es un serio flagelo que castiga a todo el planeta. Como magistrada conoció casos importantes en el delito del narcotráfico.

-¿Usted trabajó con la CIA cuando estuvo en la CONACUID o fue solo durante su trabajo como jueza en el Poder Judicial?

-Si se quiere hablar de la CIA no puede incluirla en mi época de CONACUID, porque este organismo trabajó fue con el general Ramón Guillén Dávila y creo que fue lo último que hizo en Venezuela en materia de drogas. Después del escándalo de Guillén, solo se trabajó con la DEA.

-¿Pero cuál es la historia del general Ramón Guillén Dávila quien fue jefe del Comando Antidrogas de la Guardia Nacional y un juzgado de Florida dictó una requisitoria contra él por conspiración,

posesión y distribución de drogas? Allí hay un antecedente importante de lo que vendría después...

-El general Guillén estuvo preso y le fue sobreseída la causa en el año 93, durante el gobierno del Presidente Carlos Andrés Pérez. De igual manera, el general Orlando Hernández Villegas, corrió la misma suerte que Guillén ya que fue involucrado en los mismos hechos.

-¿Pero cuando estaba en el Poder Judicial usted trabajó con Guillén en casos de drogas?

-No trabajé directamente con él, cuando yo llegué al 2do Penal al poco tiempo reventó el problema con el general Guillén y el DIM le abrió una averiguación a raíz de la denuncia que le hizo la DEA de que estaba traficando con drogas bajo la figura de les entregas vigiladas. Sin embargo lo conocí y sabía quién era él. Después que salió en libertad, tuve mucho tiempo sin saber donde estaba y que hacía. Hasta que un día se me presentó en la CONACUID y me dijo que quería trabajar conmigo en la cuerda floja, que él se podría infiltrar porque conocía gente conectada con el narcotráfico, que le diera un credencial como agente especial. Le dije que tenía que consultar con mis asesores, con el fin de quitármelo de encima. Se lo comenté al coronel Jairo Coronel quien era el director de la división de interdicción de la comisión y me respondió no se te ocurra, porque mi general Guillén es muy impulsivo y se nos pueden presentar problemas. Él comenzó a llamarme para saber qué había pasado y como dicen los policías "le di un cuarenta". O sea lo cuarentié. Me hice la loca, hasta que se cansó. Era una bella persona, pero muy terco y muy renuente para hacer su regalada gana. Actuaba según su criterio y sin asesoría de persona alguna. Me llamó algún tiempo y una vez me mandó una carta haciendo una denuncia en relación a un alijo de drogas que iba para los Estados Unidos. No supe después de él.

-¿Quién es o era el general Orlando Hernández Villegas?

-El general Orlando Hernández Villegas estuvo involucrado con Guillén en el delito de tráfico de drogas por el cual fue investigado y detenido hasta que salió en libertad por sobreseimiento de la causa durante el gobierno del presidente Pérez. Me gustaría explicar por qué a él lo involucran con Guillén. Cuando a este lo suspenden y remueven del Comando Antidrogas de la GN, por estar sometido a una investigación que para el momento llevaba el coronel del Ejército Claudio Turchetti de la DIM, por denuncia que en su contra hace la DEA, que lo acusaba de introducir drogas a los Estados Unidos bajo la supuesta figura de entregas vigiladas, es sustituido por el general Orlando Hernández Villegas quien una vez llegado al Comando comienza a relacionarse con los jueces que más realizaban investigaciones en drogas, y así es como me hace una visita de cortesía para conocerme y ponerse a las orden. Conversamos un buen rato y me dijo bueno doctora cuento con su apoyo y espero que podamos realizar un buen trabajo. Efectivamente comenzamos a trabajar pero como a las tres o cuatro semanas, me llama por teléfono y me dice necesito urgente hablar con usted, ¿puede venir al Comando? Le dije no, estoy en plena audiencia y hoy tengo varios expedientes que se me vencen, si es tan urgente venga que hago un espacio y lo recibo. Al rato llegó, se le notaba angustiado y nervioso y es cuando me cuenta que debido el trabajo que tenía no había verificado el inventario que le había dejado el general Guillén y que los guardias arreglando el galpón donde se arreglaban las unidades habían conseguido un alijo de drogas, que no sabían cuanto era pero que parecía como mas de 500 kg de cocaína envueltos en papel tipo paquete, que él había ordenado lo contaran. Me dijo que en el acta de entrega del Comando no se hacía mención de nada de ese alijo. Revisé las actas y efectivamente tenía razón no se hacía mención de ninguna droga y al parecer tenía mucho tiempo guardada allí porque estaba tapada con cartones y tenía tierra. Él insistió para que yo fuera y le dije, general, primero haga un inventario urgente, mande a realizar una experticia, oficie urgente a la Fiscalía y pida la presencia de un fiscal para el inventario y notifique a PTJ, porque para esa época la GN solo tenía 72 horas para instruir un expediente en drogas y estaba obligado a pasar lo actuado a la policía judicial. Si el expediente me llega a mí no hay problemas, pero yo prefiero que se cumplan los canales regulares. El lunes nos hablamos si usted quiere, si se le complica la situación póngase en contacto con el juez de guardia mientras realiza el traslado de la droga a PTJ. Mi sorpresa fue cuando el día domingo aparece en la prensa que se había encontrado un alijo de drogas, no me acuerdo la cantidad pero sé que era más de 500 kg o 1500 kg de cocaína. De inmediato se prendieron las alarmas, la PTJ realizó una inspección ocular en el sitio donde supuestamente se había encontrado y no coincidía con lo señalado en las actas, los testimonios al parecer eran contradictorios y de inmediato se comenzó a hablar de una simulación de un hecho punible, es decir que la droga había sido puesta en el sitio y se quería hacer creer a las autoridades que había sido dejada allí por los traficantes y encontrada por la GN. Turchetti de inmediato abrió una averiguación al general Hernández Villegas y al resto del personal, incluyendo al mayor Frank Morgado González y al también mayor Moscoso. Tengo entendido que estos dos oficiales fueron los ideólogos de este procedimiento, ellos estaban en el Comando desde la época del general Guillen. La situación se tornó bastante difícil para el general Hernández Villegas quien fue detenido conjuntamente con el general Guillén, así como Morgado, Moscoso y otros oficiales de entonces. Estos últimos salieron ilesos de la averiguación mientras los dos generales si fueron detenidos y sometidos a juicio hasta después de estar detenido un tiempo cuando se les sobreseyó la causa. Probablemente, si yo no hubiera hablado con Hernández Villegas, hubiera dudado de él, pero yo vi la angustia de este hombre, que no tenía experiencia en ese momento en el tema de las drogas, revisé las actas de entregas y me di cuenta que no se hacía mención de ningún cargamento de drogas y que sin astucia alguna se dejó envolver por personas inescrupulosas que probablemente debido a sus experiencias delictivas sabían cómo escurrir el bulto. Conociendo a Guillén y por su forma de ser impulsiva, pero honesto, no me extraña que también haya sido víctima de intrigas de parte de su personal de oficiales. Cuando Guillén hacía las "entregas vigiladas" con asesoramiento de la CIA, lo hacía convencido de que estaba actuando bien, que no se trataba de un tráfico de drogas y por el contrario el país estaba luchando contra eso.

LOS PRIMEROS PASOS

Cuando llega a la CONACUID, la jueza Camero tiene la histórica oportunidad de conocer a fondo la actividad del gran capo de la droga en Venezuela, Walid Makled, quien es figura fundamental del narcotráfico en Venezuela. Y actuó con firmeza, hasta donde la dejaron.

-Usted conoce bien este mundo criminal del narcotráfico. Manejó muchos casos de drogas desde el Poder Judicial y luego estuvo muy cerca de esta película estando al frente de la CONACUID. Makled no aparece de la nada como el gran capo que fue. Cuénteme ¿cómo comienza el camino delictivo de este hombre a quien hoy el gobierno mantiene congelado sin que se le haga el juicio abierto en el cual pueda contar sus crímenes y sus complicidades que el gobierno sin disimulo intenta ocultar y desaparecer? ¿Qué sabe usted de este personaje?

-La primera vez que tuve conocimiento de las andanzas de Makled, fue a través de Paul Roden, enlace policial de la embajada británica para la época, quien me invitó a un almuerzo para hablarme de este personaje, eso fue a finales del 2003. Paul me dijo que este señor manejaba casi todo el negocio de las drogas, en el centro del país (Estado Carabobo-Valencia), que estaba muy bien relacionado con gente de la Guardia Nacional y con el gobernador Acosta Carles, con gente del alto gobierno e incluso con diputados del PSUV de la Asamblea nacional y del estado Carabobo. Luego en una reunión con el jefe de la DEA en Venezuela, para ese momento el señor Paul Abosamra, le pregunté por Makled. Él se sorprendió y me preguntó cómo sabía yo de este señor y le expliqué que Paul Roden me había hablado de él y las investigaciones que ellos, los británicos estaban realizando y de su preocupación por los vínculos de este señor, con altos personeros del gobierno nacional. Paul, el americano, me ratificó lo dicho por el británico, y él igualmente me manifestó su preocupación por las actividades de Makled y sobretodo sus relaciones de negocio con gente del gobierno y algunos miembros de la FAN. En sucesivas reuniones con él, me mostró fotografías y documentos, grabaciones, videos en donde aparecían policías civiles y de la Guardia Nacional recibiendo dinero, entregando alijos de drogas, y muy especialmente conversaciones en donde se hablaba de cómo frustrar o abortar operativos de drogas realizados por algunos órganos de seguridad de estado. Estas pruebas nunca tuvieron en mi poder solo la DEA me las mostró para que yo tuviera conocimiento de lo que estaba sucediendo en nuestro país. Yo oí grabaciones y vi videos, documentos pero no me fueron entregados originales ni copias, a pesar de que se las solicité por medida de seguridad, ya que decían que era muy peligroso que yo tuviera esos documentos, que en caso de que fuera necesario solicitarían a su gobierno permiso para ser entregados y que solo se hacía si se abría un juicio, y que además yo no tenía la seguridad en la CONACUID para la protección de esos documentos, ya que la propia GN era la que mantenía la custodia externa de las instalaciones del organismo. En las grabaciones se hablaba un lenguaje muy particular utilizados por los traficantes. Pero la DEA así como los británicos, estaban previstos de muchas fotografías, informes confidenciales de inteligencia, tanto de autoridades colombianas como incluso de autoridades venezolanas. Muchos documentos en donde se señalaban operativos en donde los cuerpos policiales y nuestras fuerzas armadas infiltraban traficantes y le otorgaban credenciales oficiales falsas, con el fin de frustrar o abortar operativos y apoderarse de la droga. Incluso Makled infiltraba gente de su entorno con credenciales otorgadas por oficiales de la GN con el objetivo de saber cuándo iban a realizar el operativo las autoridades venezolanas y así apoderarse de la droga o simplemente abortar el procedimiento, es decir cambiar la ruta, o la hora, el modus operandi etc. en la que iba a ser trasladada la droga o la suspensión preventiva del traslado de la droga. El trabajo era harto difícil tanto para las policías venezolanas, responsables y honestos no metidos en el negocio; como para las policías extranjeras acreditadas en el país, que constantemente se quejaban de lo difícil y peligroso que era en Venezuela apoyar a las autoridades dedicadas a la lucha contra las drogas, por el grado de corrupción y penetración de narcotraficantes en esos cuerpos policiales. Tenían que actuar como mucha cautela sobre todo en operativos de mucha importancia.

-¿Cómo se inicia Makled en el narcotráfico?

-Walid Makled es hijo de inmigrantes sirios, se cree que nació en Valencia, estado Carabobo. Al inicio se dedicaba a asaltar camiones que se desplazaban por la carretera para quitarles su mercancía, sobre todo los que transportaban alimentos y posteriormente los colocaba en varios negocios del ramo. Compraba igualmente a bajos precios muy por debajo del normal artículos electrodomésticos a la Guardia Nacional que a su vez se lo apropiaban de los decomisos por drogas y especulación. El padre de Makled tenía un negocio de venta de electrodomésticos, y era una de las familias acomodadas de Valencia. El negocio creció así como crecieron sus amistades y oportunidades "laborales". Conoce a José María Corredor Ibagué, alias El Boyaco, quien era el representante en Venezuela de la FARC y el encargado de intercambiar armas por drogas. De igual manera comienza a relacionarse con grupos de pequeños traficantes de drogas, de armas, se intensifican sus relaciones con altas jerarquías de la Guardia Nacional, políticos, empresarios y gente vinculadas al partido del gobierno y sobre todo con miembros del PSUV.

-¿Con quienes específicamente?

-Una de sus grandes alianzas es con el general Luis Felipe Acosta Carles, cuando este llega a gobernador del estado Carabobo. Su amistad y negocios eran harto conocidos en el estado, no había acto en que no estuvieran los Makled, y sobre todo Walid, quien de acuerdo a las investigaciones realizadas por los órganos de policías extranjeras, las relaciones con el gobernador Acosta iban más allá de la simple amistad. Sí, él era amigo de toda la gente de Valencia fundadores del PSUV, los hermanos Ameliach, él se reunía con la plana mayor y andaba con los diputados de la Asamblea Legislativa de allá y con los de la asamblea de aquí. Hay que recordar que Luis Felipe Acosta Carles había sido jefe del estado mayor del Comando Antidrogas de la GN, en los inicios del gobierno de Chávez, y que en esa oportunidad fue denunciado por la pérdida de más de 500Kg de cocaína del lugar donde se encontraba guardada en el Comando, siendo él, el único que tenía la llave del depósito.

-Cuéntenos ¿como fue el escándalo de un decomiso de cocaína de Makled en Valencia y la complicidad de un comisario, sin que el gobierno investigara el caso y tomara una decisión?

-Bueno para el año 2004 se presenta un caso emblemático. Fue cuando un grupo de funcionarios policiales judiciales del estado Carabobo, decomisaron en el aeropuerto Arturo Michelena de Valencia 4.000 Kg de cocaína de alta pureza, perteneciente al grupo de Makled y los cuales le fueron devueltos presuntamente por el comisario Jesús Itriago previo pago de un 1.000.000 dólares. Esto causó gran revuelo a nivel de todas las autoridades que veníamos trabajando en la materia, CONACUID, enlaces policiales extranjeros, policías de investigación y preventivas, fiscalía etc. Itriago fue premiado nombrándosele Jefe de la División de Drogas del CICPC. Ni el alto gobierno ni las demás autoridades competentes se pronunció al respecto, no obstante los diversos informes levantados por los diferentes organismos competentes, en los cuales se solicitaba una investigación del caso. Pero además, Makled sostuvo relaciones con algunos diputados del PSUV, incluso él mismo ha manifestado que les regalo cinco (5) vehículos a cinco de sus "compinches" diputados. Incluso se dice que uno de los beneficiados fue Amílcar Figueroa del partido comunista, versión que no ha sido confirmada. Hasta los momentos no sabemos quiénes fueron los otros diputados afortunados.

-¿Cómo expande Makled sus actividades? ¿Quiénes son sus aliados en el negocio?

-Las relaciones de Makled al inicio de su carrera delincuencial, fue con algunos miembros de la Guardia Nacional. Si bien es cierto que durante mucho tiempo este componente de nuestra FAN, tenía limitadas su competencia en drogas, no es menos cierto que a partir de la entrada en vigencia de la Ley de drogas de 1993, se les dio competencia plena en cuanto a investigación e instrucción en la materia, este hecho es importante destacar dado su connotación a posteriori. Ahora bien, Makled no solo le compraba la droga a la Guardia, que a su vez se la tumbaba a pequeños traficantes al principio, sino que además utilizaba sus influencias, sus relaciones. No solo tenía un carnet que lo acreditaba como oficial de inteligencia de ese componente militar, expedido por el general Alexis Maneiro, uno de los grandes "próceres" de esta revolución, Jefe del Comando Regional No 7 ubicado en el estado Sucre, y uno de las más inescrupulosos personajes que han pasado por nuestra Fuerzas Armadas, deshonrando no solo el uniforme, sino el juramento de defender la patria contra cualquiera amenaza. Este seudomilitar, dedicado de lleno al tráfico de drogas fue unos de los principales aliados de Makled desde el inicio de su alianza con los grupos de traficantes. No solo lo puso en contactos con ellos, sino que además participaba activamente en sus operaciones brindándole apoyo logístico. Pero se relacionó con otros militares activos como el general Frank Morgado, quien llegó a ostentar el cargo de Jefe del Comando antidrogas de la GN. Con el coronel Eladio Aponte-Aponte, cuando este tuvo en un cargo en el estado Carabobo y continuó su amistad hasta que éste llegó al cargo de Magistrado ante la Sala Penal del Tribunal Supremo de Justicia. Por supuesto con su amigo Luis Felipe Acosta Carles y muchísimos mandos medios y bajos de la GN. Muy comentada su relación con el general de Brigada Wilson Maury Leal, Comandante de la Base Aérea Generalísimo Francisco de Miranda, también conocida como "La Carlota".

-*¿Y en otros sectores policiales y políticos?*

- "Trabajó" con funcionarios policiales que formaban parte del Cuerpo de Investigaciones Científicas Penales y Criminalísticas (CICPC), se relacionó con el comisario Wilmer Flores, primo hermano de la diputada Cilia Flores, con casi todos los jefes de la división de drogas de este organismo policial, entre los más destacados al comisario Norman Puerta y al comisario Jesús Alfredo Itriago. Con respecto al comisario Puertas, fue mi alumno en un postgrado en Derecho Procesal Penal y el procedimiento en drogas y una vez que fue nombrado se presentó a mi Despacho en CONACUID, para ponerse a la orden, me pareció un hombre serio y de poco hablar. Creí en él porqué era una persona muy colaboradora, atenta y que reportaba constantemente al Despacho todas y cada una de sus actividades. Era muy amigo de Marcos Chávez, el que fue Director del CICPC, muy vinculado al partido de gobierno. De las andanzas de los comisarios Chávez y Puertas me enteré porque estando en una reunión de carácter internacional (IDEC), organizada por la DEA, en Santiago de Chile, el jefe regional de ese organismo para los países andinos con sede en Bogotá-Colombia, muy preocupado llamó a una reunión urgente antes que se iniciara la sesión, en donde el tema a tratar eran las operaciones a realizarse a nivel regional para la captura de varios traficantes y por supuesto de grandes cantidades de drogas y entre los cuales aparecía mencionado Walid Makled. En esa reunión se me puso en conocimiento de las relaciones de estos comisarios en el tráfico de drogas y se me mostraron fotografías, de los comisarios Chávez y Puertas con algunos traficantes conocidos y buscados por los Estados Unidos y Colombia, intervenciones telefónicas, declaraciones, testigos y de frustraciones de ciertos operativos por la participación activa de estos dos personajes nefastos, así como cuentas bancarias en paraísos fiscales etc. A esta reunión se nos unió el general Jorge Daniel Castro-Castro, director del Dijin (Policía antidrogas) del hermano país para la época, quien me manifestó que trabajos de inteligencia realizados por ellos, colocaban a estos comisarios, como participantes activos en el tráfico de drogas desde Colombia a Venezuela. Fue entonces en donde se trazó como estrategia hablar de los operativos futuros de una manera muy sencilla, sin muchos detalles, ni fechas ciertas e incluso se modificaron los objetivos. Las reuniones se realizaron pero se hizo más un balance de los operativos realizados hasta el momento; quedando en suspenso las nuevas estrategias a implementarse.

-*Usted señala otros nombres como Wilmer Flores, primo hermano de Cilia Flores, el comisario Norman Puerta, Jesús Alfredo Itriago, ¿Toda esa gente estaba vinculada de alguna manera a Makled?*

- Claro, Norman Puerta era jefe de la división de drogas del CICPC a nivel nacional y Jesús Itriago era el jefe en Valencia. Ahora bien, no se si Puerta estuviera directamente relacionado con Makled, pero evidentemente si él, era el director de la división general de drogas del CICPC , tenía que estar en conocimiento de las andanzas de Makled, y con respecto al comisario Flores, no me consta que Makled tuviera negocio con él. Lo que sí puedo dar fe es, que los diversos enfrentamientos existentes entre los cuerpos policiales civiles con la GN, tenían que ver con Makled. Posteriormente, comienzan a producirse con más fuerza los enfrentamientos entre la GN y la PTJ y es cuando yo empiezo a averiguar y me doy cuenta de que Morgado enviaba informes en el cual dejaba ver que Puertas estaba involucrado en el tráfico de drogas y Norman también comenzó a enviarme informes en contra de Morgado, se desató una pelea terrible entre ambos, de dimes y diretes, por lo que realicé una reunión para que ambos limaran sus asperezas, pero todo fue inútil, la pelea se arreció. Por supuesto que la pelea entre ambos tenía como objetivo demostrar quién tenía el poder sobre el negocio de las drogas. Luego recibo la invitación para ir al IDEC en Santiago de Chile y me voy con Puertas y Marcos Chávez a y allí me entero de las andanzas de estos dos ciudadanos. Morgado no fue invitado a esa reunión. Cuando estuvo Wilmer Flores como director del CICPC, no tuve ningún tipo de comunicación con él, porque ya no estaba en la CONACUID El conocimiento que tengo sobre su persona es por informaciones de los propios funcionarios policiales y según tengo entendido Wilmer Flores era un tipo maligno, incluso se ha comentado que no estaba metido directamente en el negocio de las drogas, pero por cada decomiso que hacían los muchachos del CICPC y él les descubría los tumbes, les cobraba un porcentaje a ellos, los extorsionaba. Cualquier tumbe en droga, cualquier tipo de corrupción tenían que pagarle un porcentaje. Hugo Chávez lo cambia por una serie de denuncias que tenía en su contra, pero él se sentía apoyado por Cilia Flores. Pero sin embargo, Chávez se cansó de él y no aguantó más los informes en su contra. En cuanto a Marcos Chávez, era otros de los que tengo más conocimiento de sus andanzas porque me tocó trabajar con él muy de cerca y se decía que era un delincuente; a pesar de que parecía un tipo gris que nadie conocía, un provinciano, y de repente llega al CICPC y todo el mundo se quedó asombrado; era un tipo que no sabía nada de nada y sin embargo llega a ser Director del Cuerpo de Policía Científica, su designación impactó mucho en el mundo policial. Norman se hace muy amigo de él y andaban para arriba y para abajo. Me imagino que Marcos Chávez siguió la misma tónica que Flores, cobrándoles a los muchachos que estaban en las fronteras, ya que a todos les quitaba un porcentaje, porque sabían lo que estaban haciendo los funcionarios y tenían que pagarles por hacerse los locos. Makled tenía muchos amigos tanto de las policías civiles como de la FAN y por supuestos que todos colaboraron con él, en el negocio de las drogas y en actividades de legitimación de capitales (lavado de dinero).

-Makled se convierte en esos tiempos en araña destructora que lo abarca todo, tiene un inmenso poder y control del negocio criminal y llega a relacionarse tan eficientemente que hasta el propio presidente Chávez lo considera un personaje virtuoso...

-Así es, las operaciones realizadas por Makled se fueron ampliando, se convirtió en el líder de grupo de civiles dedicado al tráfico de drogas en el país. Mientras más avanzaba la investigación sobre las actividades ilícitas de Makled, más eran sus relaciones con los cuerpos policiales venezolanos y con la Guardia Nacional, así como con las fuerzas políticas del gobierno. Ya Chávez lo había mencionado en una de sus cadenas dominicales como el empresario patriota y revolucionario que estaba apoyando la revolución de una manera desinteresada (Makled colaboró económicamente con la campaña de Hugo Chávez y de Acosta Carles). En ese contexto resultaba difícil y riesgoso trabajar con las autoridades policiales venezolanas y mucho menos pasarle información, así que lo que hacían los enlaces policiales eran darle algunas informaciones con el fin de efectuar algunos golpes certeros para trasmitirles el mensaje a estos grupos de traficantes y en especial a Makled, que sabían de sus andanzas y que lo estaban siguiendo muy de cerca. Fueron muchas las reuniones con los oficiales de enlaces extranjeros con el fin de darle ánimo e incitarlos a que siguieran con las investigaciones con el fin de apoyar a un pequeño grupo de policías venezolanos honestos que sí querían enfrentar la situación grave que se estaba sucediendo en el país.

-Quiere decir que no era fácil el trabajo para los enlaces policiales...

-Sí, los enlaces policiales (son los enlaces policiales extranjeros) tenían terror de trabajar aquí en Venezuela, estos estaban acreditados de acuerdo a la Convención de Viena, por eso es que existe la DEA y por eso es que está en Venezuela, porque hay un artículo especial en el cual cada país lo tiene para facilitar las cosas. Tenían miedo porque no creían en el CICPC, le tenían terror, eran muy pocos con los que se podía trabajar, le tenían terror a la GN, entonces estos eran unos bandidos. Me decían doctora con quién se puede hablar en el CICPC. Bueno, les decía, con Eliseo Guzmán, que es un hombre cabal o con el comisario Alejandro Hernández. Cuando llegó al Comando Antidrogas Frank Morgado, ya estaban funcionando los grupos especiales y para su selección hubo que someter a los aspirantes a un detector de mentiras, pruebas de inteligencia, pruebas físicas etc. Yo estaba muy preocupada porque sabía que si fallábamos en la escogencia y selección del personal, todo iba ser culpa de la Presidenta de la presidenta del Organismo. Durante esa etapa de la selección del personal estuvo como Jefe del Comando Antidrogas el general Miguel Ramírez, quien tenía mucho recelo con el procedimiento para la escogencia y selección del personal que iba integrar a esos grupos especiales. Cuando Morgado llega a la Jefatura del Comando Antidroga, pone en duda el procedimiento de selección de dichos grupos y me sugiere hacer unos cambios, ya que estaba interesado en cambiar algunos de los oficiales seleccionados y que tenían tiempo trabajando el grupo para colocar gente de su confianza, allí comenzó el problema.

-Makled era el rey y tiene la osadía de presentar a su hermano Abdala como candidato a la alcaldía. ¿Es cierto que esto lo aleja aún más de los militares quienes ya no soportaban el poder que acumulaba?

-Abdala Makled, era uno de los empresarios que en el Estado Carabobo, apoyaba el régimen de Hugo Chávez, incluso lideraba una organización a favor de las políticas económicas de éste. Sin embargo tuvo la infeliz idea de lanzarse a la candidatura por la Alcaldía de Valencia, siendo que ya el partido de gobierno tenía su candidato. Esto molestó mucho a las autoridades del partido regional, quien no pudo a pesar de ejercer la presión necesaria, lograr que este desistiera. El candidato no deseado, empezó una campaña en donde regalaba electrodomésticos y su candidatura iba tomando vuelo, hasta que el partido puso fin a sus aspiraciones cuando públicamente señaló quien era la persona escogida por el Presidente de la República, para ocupar el cargo a la Alcaldía de Valencia. Esto molestó mucho a los Makled, quienes desde ese momento se distanciaron de los dirigentes del partido de gobierno regional y nacional, y comenzó la "guerra". Para ese entonces, ya no estaba Acosta Carles quien había perdido las elecciones, y esta circunstancia hizo que se cambiaran las autoridades militares en el estado y se designaran personas más afines al proceso revolucionario.

EL ASALTO DE LOS NARCOGENERALES

Ya era inaceptable para los militares involucrados en el negocio del narcotráfico el inmenso poder que manejaba a su antojo Walid Makled. Y especialmente dentro del ejército los generales vinculados al narcotráfico, que por supuesto no representan a la Fuerza Armada Nacional donde en términos generales la mayoría de sus integrantes son gente honesta e institucionalista, deciden tomar el negocio en sus manos y hacerse de las enormes riquezas que esta actividad criminal les proporciona. En ellos no hay ética, moral y mucho menos amor por una Venezuela que se hunde en el crimen y la corrupción que ellos protagonizan.

-¿Quiénes llegan entonces al escenario?

-Bueno, es entonces cuando entra en escena el general Clíver Alcalá Cordones, quien venía del Estado Zulia con una serie de denuncias sobre su presunta participación en el tráfico de drogas, y sus vinculaciones con miembros de la FARC y comenzó la pelea, las persecuciones y los tumbes.

-¿Cómo es eso de los tumbes?

-Es una práctica utilizada por los traficantes de droga, que consiste en quitarse la droga o parte de ella, unos con otros, para luego colocarla y venderla a su mejor postor. Es decir, quitarse o apoderarse de la droga de otro grupo sea civil o militar. Por lo general se daba entre grupos enemigos civiles. Normalmente, los grupos civiles dedicados al tráfico de drogas se hacen emboscadas entre sí, con el fin de apoderarse de la droga y luego colocarla para poder venderla. Es por ello que estos grupos pagan protección no solo para que los resguarden mientras trasladan los cargamentos, sino también para que les protejan las rutas. Es muy común que durante el traslado de drogas se realicen este tipo de asaltos, muchas veces con saldos de heridos y muertos.

Ciertamente al comienzo esta práctica se utilizaba entre grupos de traficantes civiles, pero posteriormente se extendió a los propios órganos de seguridad del estado. Es normal en Venezuela que grupos de nuestras fuerzas armadas, principalmente de los componentes Ejército y GN, le hagan un tumbe a grupos civiles de traficantes; o que grupos de policías (nacional, estadal o municipal) y de policía científica, hagan un tumbe a grupos civiles o militares del ejército o de la guardia nacional, a la policía científica o viceversa. Es por eso que la mayoría de los traficantes pagan y muy especialmente Makled, que pagaba no solo por su protección personal, sino para que la GN lo protegiera de los tumbes de los civiles o del grupo ejército o cartel bolivariano o revolucionario.

-¿Quiere decir que desde ese momento el ejército, los hombres de Clíver Alcalá Cordones le declaran la guerra a Makled?

-La pelea ciertamente es a muerte, porque le comienzan a quitar las rutas a Makled. El ejército o cartel bolivariano asume el control de las rutas, que inicialmente eran controladas por un grupo de la GN y Makled pagaba para que lo protegieran a él, y a su vez protegiera las rutas y los cargamentos de drogas. Del pago de la protección personal, se pasó al pago del traslado de las drogas y por el mantenimiento de las rutas. Esto ha sido una práctica común entre los traficantes de drogas. Hoy en día, se paga para evitar los tumbes, es decir que grupos de traficantes sean civiles o militares, se quiten las drogas entre sí. En Venezuela se han presentado situaciones muy delicadas por estas prácticas sobre protección. Cuando apareció muerto el traficante colombiano Wilmer Varela, alias El Jabón, en un hotel en Mérida se dice que pagaba más de 400.000 dólares mensuales a funcionarios del DIM (hay quienes afirman que el pago era para el general Hugo ("El Pollo") Carvajal, no solo por protección personal, sino también para que le mantuviera sus rutas y cargamentos de drogas que transportaba desde Colombia. Según fuentes de inteligencia extranjera, afirman que "El Jabón" y su ayudante fueron asesinados porque se negaban a pagar más dinero, porque habían sido objeto de varios tumbes e intentos de asesinato, incluso él estaba convencido de que eran las mismas personas que él pagaba, que se habían apoderado de su negocio y ellos mismos vendían las drogas.

En el caso de Makled, la situación se le fue agravando, ya que el cartel bolivariano o del ejército, comenzó a cobrarle por protegerle el traslado de las drogas y mantenerle sus rutas, ya que hubo un momento en que había que pedirle permiso para pasar las drogas por los sitios o lugares que usualmente usaron porque el ejército se había adueñado de ellas y prácticamente le había quitado la protección de la GN. Makled se quejaba con la GN que seguía cobrándole pero se había dejado arrebatar las rutas por el ejército y ya había sido objeto de varios tumbes. Así comienza la pelea entre ambos grupos. El ejército le tumba a Makled una droga, la GN se la tumba al ejército y se la devuelve a Makled, pero entonces había que pagar un porcentaje mayor por la recuperación de la droga. Se convirtió en una pelea constante que se profundizó con la llegada del general Clíver Alcalá Cordones. Igualmente, a Makled se le acusa de haberle dado muerte a uno de sus colaboradores, quien resultó muerto por sicarios en un "lavaíto" en Valencia, precisamente por estar involucrados en los famosos tumbes con el cartel del ejército. Hay muchísimos ejemplos todos relacionados por el control del tráfico de drogas y sus rutas.

-¿Es en ese momento cuando militares del ejército adquieren más poder y se eliminó el apoyo logístico que daba la DEA con aviones especiales para detectar sobrevuelos nocturnos y cargamentos de drogas?

-Así es, este grupo de oficiales comienza a controlar el traslado de los cargamentos de drogas, las rutas, las pistas de aterrizaje, el ingreso y la salida de avionetas y aviones del territorio nacional. Es bueno señalar que el gobierno nacional podía controlar parte de la frontera colombo-venezolana (2.219 kilómetros de frontera) por un radar instalado por la ONU, precisamente del lado colombiano y que según un acuerdo con las autoridades venezolanas era utilizado para controlar el tráfico de drogas. El contrabando de gasolina, la salida e ingreso de avionetas etc. Pero a mediados del 2002, Chávez decidió suspender el acuerdo de cooperación, alegando que se iba a instalar un radar chino que se utilizaría para esos menesteres. No sé si el radar fue instalado y funcionando y si en verdad está cumpliendo con las funciones que supuestamente le fueran asignadas. También para esa época se eliminó el apoyo logístico que nos daba la DEA con aviones especiales para detectar sobrevuelos nocturnos y cargamentos de drogas. Una de las causas alegadas fue que el gobierno de EEUU a través de dichos aviones lo que hacía era vigilar al régimen además que se estaba violando nuestro espacio aéreo, a pesar de tratarse de un convenio de cooperación entre ambos países de vieja data. Las razones del acuerdo era precisamente que Venezuela carecía de esta logística para abordar la lucha contra las drogas, sin embargo el gobierno se negó a seguir con el convenio. Incluso, el gobierno de los Estados Unidos propuso que el equipo para controlar los vuelos nocturnos y el tráfico de drogas aéreo, fuera instalado en aviones de la fuerza aérea venezolana y manejado por expertos venezolanos previamente capacitados por ellos, pero sin embargo ni aun así quisieron aceptar la propuesta de cooperación hecha por los gringos. Yo lideraba esta propuesta conjuntamente con el propio embajador Shapiro y el Jefe del NAS del Departamento de Estado el señor Alan Smille, ante el vicepresidente José Vicente Rangel.

- ¿Ya la nueva Ley de Drogas le daba carta libre al Ejército, a la Armada y a la Aviación?

-Con la ley de drogas del 84, solamente tenían competencia para instruir en materia de drogas la Guardia Nacional, pero por un lapso de 72 horas. Cumplido ese lapso debían de remitir las actuaciones a la antigua PTJ. Posteriormente, la ley de drogas del 93, le da competencia a la GN, para realizar instrucción en materia de drogas, por un lapso de (8) ocho días, y cumplido ese lapso debían de remitir el expediente y el detenido, si fuera el caso a la orden de los tribunales penales competentes. Sin embargo, con la reforma de la Ley de Drogas del 2005 (la cual fue promulgada en dos oportunidades o fechas diferentes y que por error de imprenta), se les da competencia a los demás componentes de nuestra FAN, es decir que además de la

GN, también podía conocer e instruir en drogas, el ejército, la marina y la aviación. A partir de ese momento, se comienza a agravar la situación de las drogas en el país, ya que estos otros componentes de nuestra FAN, no tenían experiencia en materia de investigación e instrucción penal y mucho menos en drogas. De inmediato se dan cuenta como el negocio de las drogas genera tanto dinero y de una manera u otra comienzan a compenetrarse con grupos de traficantes, muchos se sienten identificados con la ideología política del régimen, y viene el acercamiento a los grupos subversivos como la FARC, los Paracos, y demás grupos de bandoleros que operan en la frontera colombo-venezolana, y allí se dan cuentan cómo y el por qué han proliferados tantos Generales de la GN millonarios y dueños de grandes haciendas y cabezas de ganado.

-O sea que la GN siempre se hacía sentir como inferior al Ejército pero en la realidad tenían el control del negocio de la droga....

-La GN, a pesar de haber sido siempre la cenicienta de las FAN, dado que ha sido relegada a un segundo plano y prácticamente a realizar trabajos más difíciles y peligrosos; en la práctica ha tenido más poder que las otros componentes. ¿Por qué? Sus competencias lo ayudan, y además siempre ha cumplido funciones policiales que no tenían las otras fuerzas. Conocen de Ambiente, Seguridad Aeroportuaria, de Fronteras, de Seguridad Interna. Además de tener una logística como componente armado de la FAN (aviones, tanques, barcos, lanchas etc.). De allí que su poder era inmenso ante una PTJ, devaluada, sin vehículos, sin armas, sin municiones, sin suficiente personal y sin recursos económicos para poder realizar una investigación seria y profunda básicamente en droga y que los obligó a depender de la cooperación internacional por mucho tiempo. La PTJ siempre fue mejor instructora que la GN y la Guardia, siempre tuvo mayor experiencia en investigaciones en drogas y por ello ha sido superior en conocimiento y experiencia que los demás componentes de la FAN. La GN se ha beneficiado del contrabando de gasolina y del tráfico de drogas. Su poder económico ha sido mayor que las demás fuerzas, no así su poder político, ya que son muy pocos los cargos relevantes que han ocupado los integrantes de este componente durante la historia democrática y ahora totalitaria de nuestro país. Creo que la GN siempre ha estado consciente del peligro que representa las fronteras colombo-venezolana por la presencia de grupos subversivos, de traficantes de drogas, de secuestros, extorsión etc. Sin embargo solicitaban ser enviados allí, porque sabían que al final se beneficiarían económicamente durante un tiempo muy corto y sin pagar favores políticos.

-¿Es cierto lo que se dice en el sentido de que el general Belisario Landis fue dentro de la GN uno de los precursores del negocio de las drogas en Venezuela?

-Cuando ejercía el cargo de juez, sobre todo cuando investigaba un caso de drogas, se comentaba en ese mundo, que uno de los principales líderes o jefe del grupo "Fénix" era para la época el coronel Francisco Belisario Landis. Una vez que es ascendido a General, comienza el rumor de que muchos de los integrantes de ese viejo grupo se había alineado a un nuevo grupo mal denominado "cartel de los soles", y el cual era presidido por el ahora general Belisario Landis. Nunca ha habido pruebas en su contra, pero su nombre era mencionado en muchos casos de drogas, principalmente cuando la investigación e instrucción del caso venía de una unidad o comando a su cargo. Mucho se decía que les cobraba a los traficantes, por sacarlos del "problema", así como por permitirle "el pase de la droga". Pero repito nunca vi prueba que lo involucraran directamente en hechos específicos de tráfico de drogas. Hubo un caso, el de los llamados Bonos TEN, en donde se le solicitó efectuar unos allanamientos en el estado Anzoátegui. Él estaba asignado como Comandante y se le advirtió que no relacionara las actuaciones con drogas, sin embargo al remitir las actuaciones se encontró que se había realizado unos allanamientos donde se había presuntamente encontrado una mínima porción de drogas lo que significaba que el Tribunal a mi cargo tenía que desprenderse de todas las actuaciones y remitir el expediente a un tribunal del estado Anzoátegui para que siguiera conociendo el caso, porque de acuerdo a la Ley de drogas de la época: drogas arrastraba la competencia. Fue un pequeño impasse que fue afortunadamente resuelto. Se trataba de un expediente donde se habían "extraviado", unos bonos TEN con un valor aproximado de cien mil bolívares (100.000), cada uno. Sin embargo, Belisario colaboró mucho en el caso denominado "Casa de cambio de las Fronteras", éste caso lo trabaje con la GN con el apoyo de la DEA y la Fiscalía de ese país. Belisario Landis hizo algunos allanamientos y detenciones en toda la zona oriental del país, con resultados muy positivos para la investigación e instrucción del expediente. Fue designado durante el Gobierno de Hugo Chávez como comandante general de la Guardia Nacional y muchos creímos que podía ser nombrado Ministro, pero creo que ocupó la cartera del Vice ministerio de Seguridad Ciudadana y posteriormente fue nombrado embajador de Venezuela, en República Dominicana. Pero también ha habido comentarios negativos sobre su actuación como representante diplomático de nuestro país, por su complacencia con algunos personajes dedicados al tráfico de drogas. La policía dominicana cree que el diplomático apoya a grupos conocidos en esa nación, involucrados en el tráfico de drogas y al lavado de dinero, esa inquietud se comenta con mucha insistencia incluso entre representantes diplomáticos de otros países. Personalmente no he visto ningún tipo de prueba que lo relacione al tráfico de drogas, aunque admito que ha habido muchos rumores desde hace algún tiempo sobre su participación como líder del cartel de los soles en Venezuela, por cierto se le denomina así, en referencia a los soles que los generales llevan en sus uniformes.

-¿En definitiva la nueva Ley de Drogas le abrió la puerta a Clíver Alcalá y a otros generales?

-El hecho de que se les haya dado competencia a los otros componentes de nuestras FAN para investigar y conocer en materia de drogas, ha permitido que Generales de otros componentes y almirantes, se hayan involucrado activamente en el tráfico de drogas. Ahora bien, lo grave es que como no tienen formación policial y no conocen el tema, lo que han hecho es involucrarse en el negocio, ya sea traficando con drogas o legitimando capitales.

EL PODER DE LOS PUERTOS

Definitivamente con la complicidad del alto Gobierno Makled tenía el control operacional en los almacenes del puerto de Puerto Cabello. Y la jueza Camero tenía la información que entregó en detalles al entonces vicepresidente José Vicente Rangel sobre la participación de militares en el narcotráfico. Rangel no solo engavetó las denuncias sino que sugirió a la jueza que dejara "tranquila a esa gente". El entonces presidente Hugo Chávez también tenía en sus manos el informe.

-*Vamos hacia atrás en el tiempo doctora Camero: ¿Makled tenía un centro fundamental para sus operaciones en el puerto de Puerto Cabello?*

-Sí, Makled tenía una concesión que le otorgó la directiva del puerto, de Puerto Cabello, para poder operar allí. Es decir él alquiló unos almacenes en donde supuestamente guardaba o depositaba mercancía para su exportación, que era el negocio de apariencia legal con el cual él se manejaba públicamente. En cambio, sus operaciones en el puerto de La Guaira, no eran tan frecuentes porque tenía que pagar más fletes, utilizar caleteros que no eran de su confianza y almacenes del puerto que no eran los de su empresa. En Puerto Cabello, el personal era pagado por él y por ende de su confianza, y formaban parte de la plantilla de su negocio, los almacenes era los utilizados por su empresa, es decir, tenía toda la libertad para hacer y deshacer. Makled hacía de todo. En 2009 salió un avión del aeropuerto de Maiquetía con destino a Honduras con 1.500 kilogramos de cocaína envueltos en sacos de yute. Dos de los tres ocupantes fueron arrestados el otro falleció en el accidente. En ambas procedimientos Makled contó con el apoyo de las autoridades aeroportuarias. Pero vale destacar que el año 2008, la familia

Makled compró la línea aérea Aeropostal de Venezuela, que se tiene entendido utilizó para trasladar drogas al exterior. Cuando cayó en desgracia con el gobierno, le fue expropiada. Las autoridades que venían siguiendo las andanzas de Makled, desde que la DEA estaba en Venezuela y a raíz de la compra de la línea aérea Aeropostal, abrieron una averiguación en su contra y congelaron unos fondos que estaban depositados en un Banco Venezolano a nombre de él y su familia, esto fue en marzo del 2008. De igual manera, funcionarios gubernamentales curazoleños informaron a la DEA, que el gobierno de Venezuela le proveyó a Walid Makled un número de cuenta bancaria y desde esa cuenta Makled transfirió 3,4 millones de dólares al Caracas International Banking Coorporation, lo cual originó el allanamiento en las oficinas del Banco en Puerto Rico; y el congelamiento de 26,8 millones de dólares en otras entidades bancarias. Creo que con respecto a Walid Makled todavía hay mucho que decir e investigar, ya que fue igualmente utilizado por muchos militares y funcionarios del Gobierno como testaferro en muchísimas operaciones bancarias de lavado de dinero. Gobiernos como el británico y otros europeos esperan la decisión de las autoridades judiciales venezolanas, para ellos pronunciarse al respecto. Asimismo, como algunos países centroamericanos que de alguna manera se vieron afectados por los negocios de la familia Makled. Walid Makled ha sido acusado de darle muerte al periodista Orel Zambrano y al veterinario Francisco Larrazábal así como a Enzo Villasana con quien tuvo graves diferencias después de haber trabajado con él durante varios años. Villasana fue muerto por un sicario mientras se encontraba lavando su vehículo en un auto lavado en Valencia; sin embargo funcionarios policiales radicados en el estado Carabobo han señalado que cuando Makled se dedicaba a asaltar camiones en las carreteras tuvieron conocimiento de muchas muertes que nunca fueron investigadas y que aún claman por justicia. Por ello cuando Makled olfateó el peligro que le venía encima por el hecho de que CONACUID estuviera montando y tratando de ejecutar un proyecto de modernización del puerto de Puerto Cabello, comenzó a presionar y a buscar por todo los medios cómo detener el proyecto y se valió de toda su influencia y poder para ello. Por otra parte, llama la atención la entrada en acción del capitán José Vielma Mora con su fama de gerente y hombre honesto, quien por muchísimas razones al parecer de carácter personal, demoró muchos meses la entrega de la documentación necesaria para la final implementación del proyecto. Se comenzó a ejecutar una parte pero no se pudo más, porque expulsaron a la DEA, (solo se inauguraron dos galpones), y fue entonces cuando el Gobierno americano decidió no seguir invirtiendo más dinero mientras no se resolviera lo relativo a los acuerdos de cooperación con Venezuela.

-¿Usted cree que el presidente Hugo Chávez sabía de esto?

-No sé si sabía detalles específicos sobre Makled, pero sí sobre la actuación de sus generales amigos. Para el expresidente Chávez era más importante la lealtad a sus ideales políticos que cualquier otra cosa. Por eso creo que sí sabía lo que estaba pasando, con respecto al tema de drogas en el país, porque yo personalmente se lo hice saber por medio de cinco (5) informes, y porque además las autoridades colombianas se lo hacían saber cada vez que había una reunión entre Presidentes. Sin embargo para él era más importante mantener viva su revolución, aun cuando estuviera comprometida la seguridad del país.

-¿Es en esa circunstancia en la cual usted se reúne e informa a José Vicente Rangel y le plantea sus inquietudes?

-Con Rangel me reuní en varias oportunidades, ya que era a él a quien le rendía cuenta. En diversas oportunidades le entregué informes sobre la situación de las drogas en el país. Se hacían dos informes con el mismo contenido, a veces el que iba dirigido al Presidente podía tener información más precisa, con fechas, nombres, lugares etc. dependiendo del nivel de la información; y otro iba dirigido al Vice-Presidente de manera más general.

En mi última reunión con José Vicente Rangel, y sé que fue la última, ya que después de ella fui removida del cargo, le entregué un informe mucho más completo en donde se detallaba con lujo de detalles las actividades que en ese momento estaban realizando algunos miembros de las FAN, dentro de la GN como del Ejército en drogas y sobre algunos problemas que se venían sucediendo con el general Frank Morgado. Para ese momento me hice acompañar del doctor Bayardo Ramírez Monagas, quien fungía como mi asesor en el tema de la delincuencia organizada y legitimación de capitales. Rangel tomó el Informe y lo puso detrás de su escritorio y me preguntó sobre qué se trataba. Le expliqué ligeramente y me respondió que no me metiera en eso, y que dejara a esa gente tranquila. Seguidamente me preguntó si conocía a un tal Luis Correa. Le contesté que no y después le participé, ya lo había hecho previamente por un oficio, que me ausentaba por unos días del país, ya que iba a asistir a una reunión en el comando sur, de carácter regional, en donde se iba a planificar la participación de Venezuela en un ejercicio con la marina de varios países del área del Caribe, sobre detección de drogas en alta mar. Posteriormente se conversó sobre otros temas relacionados con la legitimación de capitales y la delincuencia organizada por parte de Bayardo Ramírez Monagas, hasta que finalmente dio por terminada la reunión. Posteriormente en el carro de regreso a la CONACUID recordé quién era la persona por el cual Rangel me había preguntado. Se trataba de un DISIP, dedicado a intervenir teléfonos y a quien se relacionaba frecuentemente con traficantes de drogas. Días atrás el comandante general de la Guardia Nacional, general Marcos Rojas Figueroa, me había hecho la misma pregunta. Después supe que Correa era cuñado de Jesse Chacón y fue la persona que me sustituyó en el cargo en la CONACUID.

-¿Usted piensa que Rangel sabía de su inminente destitución?

-Obviamente por eso me respondió y sugirió que no me metiera en eso y dejara esa gente tranquila y porque además me preguntó si conocía al maula de Luis Correa y tampoco le dio importancia al informe, a pesar de haberlo puesto en conocimiento del mismo. Después que salí de CONACUID, me puse a investigar las razones de mi salida y descubrí que José Vicente Rangel, Jesse Chacón y Frank Morgado tenían la mano metida en ella. Incluso Rangel y Morgado viajaron juntos a Rusia a comprar armas y equipos militares, algo muy raro porque por lo general quienes viajan a realizar estas compras son miembros del componente ejército y no de la Guardia Nacional.

-¿Cuál es el vínculo de Rangel con Morgado y qué consecuencias trae esa relación?

-Esa es una buena pregunta. Porque yo pienso que esa vinculación tuvo que darse cuando Morgado llegó al Comando Antidroga como jefe, el cual fue una sorpresa ya que todo el mundo esperaba que continuara el general Páez Cabrera, quien había sustituido al general Miguel Ramírez, y durante el año que estuvo realizó un trabajo extraordinario. Era un hombre acucioso y honesto, todo un profesional. Durante su estadía en el cargo se estabilizaron las relaciones entre la Guardia y la PTJ, era un hombre conciliador, con un verbo tranquilizador que irradiaba paz y cordura, amén de que era un gran conocedor del tema de las drogas. Pues designan a Morgado y la gente se quedó asombrada, porque muchos lo conocíamos desde hace tiempo, porque él ya había estado en ese Comando desde la época del general Guillén y porque además también estuvo durante la gestión de Ramírez en una posición menos visible. Al principio yo a Morgado lo había designado representante de Venezuela ante el GAFI, (Grupo de Acción Financiera) que depende de la Unión Europea, especialmente de los británicos, y ellos hicieron dos capítulos para Latinoamérica, uno que se llama GAFIC, (Grupo de acción financiera del Caribe), y GAFISUR, que funciona para Argentina y Naciones del Sur. Nosotros pertenecíamos a GAFIC y teníamos que tener un representante allí y como Morgado estaba metido en la parte de lavado de dinero y yo todavía no le había detectado sus andanzas, le mandé un oficio a Miguel Ramírez para que lo nombrara en sustitución de uno de PTJ, de nombre Reyes que manejaba muy bien el tema y por un accidente que tuvo no pudo asumir la representación. Fue cuando se decidió designar a un miembro de la GN y como Morgado al parecer tenía experiencia en el tema se decidió designarlo como representan ante dicho Organismo Internacional. Pero la CONACUID no tenía todavía un presupuesto asignado para los viajes internacionales y era a través de la cooperación internacional que los funcionarios podíamos viajar al exterior a representar al país en reuniones internacionales, o asistir a seminarios o cursos de capacitación. Luego entonces a través de la cooperación internacional con Estados Unidos, alemanes o los franceses etc., se le otorgaba los boletos de avión y los viáticos al funcionario para poder cumplir con los compromisos internacionales; ellos cubrían todos los gastos, que hacíamos a través de una solicitud que se enviaba a las embajadas. Morgado, viajó varia veces a representar al país con viáticos otorgado por la embajada americana, así como también fue a la propia sede consular a buscar sus viáticos y boleto de avión Pero de la noche a la mañana él no quiso viajar más, manifestó que no podía recibir los viáticos que le daba la embajada americana porque el comando se lo había prohibido. Entonces llamé a Ramírez para preguntarle de donde había salido esa prohibición y fue cuando me dijo bueno doctora póngalo usted y le dije que nosotros no teníamos viáticos presupuestados para viajes al exterior de nuestros funcionarios, mucho menos de otros funcionarios de otras instituciones del Estado y me dijo entonces que era una orden de la superioridad y que el solo la cumplía. En vista de la situación me reuní con las autoridades del Ministerio de Finanzas para ver si se podían vender algunos bienes que habían sido decomisados y que de acuerdo a la ley de drogas, los mismos podían ser vendidos o rematados y el dinero obtenido ser utilizado para la lucha antidrogas que comprendía diversas fases entre ella, la capacitación del funcionario, asistencia a seminarios y representación del país en el exterior. Para que CONACUID pudiera utilizar esos recursos, era necesario que el Ministerio de Finanzas hiciera los trámites, ya que no había otra forma, salvo la cooperación internacional prevista en la Convención de Viena; para mandar a los técnicos a representar el país, a reuniones internacionales. Tal fue la negativa de Morgado y del Comando General de la Guardia Nacional en recibir viáticos que no fueran otorgados por la CONACUID o de otra institución del estado, que se decidió sustituirlo de la representación y en su lugar se designó a otra persona.

-¿Hasta dónde llega la relación Morgado -Rangel?

-José Vicente tenía la manía de querer agarrar al que supuestamente había matado a su yerno, a Rafael Alcántara, yo tengo una carta donde JVR me pide que hable con la DEA, con la CIA para que detuvieran a Alcántara, que supuestamente se desplazaba entre Francia e Inglaterra es decir que estaba operando entre esos dos países; yo me hacía la loca porque no me quería meter en ese rollo y porque además nunca estuve convencida de que Alcántara fuera el autor intelectual de la muerte de Totesaud. No sé a través de qué medio él quiso que la GN lo apoyara y lo ayudara a buscar a este hombre, porque eso era y es un trabajo de INTERPOL. A lo mejor esto fue lo que hizo que José Vicente se relacionara con Morgado, estoy solo suponiendo, porque el otro, o sea Morgado lo que tenía era un comando antidrogas, qué relación podía tener JVR con él. De la noche a la mañana, un día llame al Comando porque quería hablar con el General y me dicen no, el está viajando con el vicepresidente Rangel para Rusia, y me dicen comprando armas y tanques. Después una vez lo llamé y le dije mire Morgado en qué anda usted que lo llamo y no me responde las llamadas y me dijo sí doctora es que ahora estoy trabajando para la Vicepresidencia. Se estrechó esa relación con el Vicepresidente al viajar con él o por la promesa de que iba a averiguar el paradero de Alcántara para realizar todo lo necesario para su detención

-Eso ocurre cuando usted había creado los Grupos de Tarea o Unidades Especiales. ¿Cuál era la idea de crear estos grupos?

-La Ley Orgánica sobre sustancias estupefacientes y psicotrópicas del año 1993, en su artículo 209 señalaba las atribuciones de la CONACUID. De allí que por ejemplo en el numeral 1 se establecía la atribución de planificar las políticas públicas y estrategias del gobierno en el área de control, fiscalización y "represión". En el numeral 6, se establecía la creación de comités o grupos de trabajo que funcionarían bajo la supervisión de la CONACUID. El numeral 10 le otorgaba la atribución para coordinar a nivel estratégico los cuerpos policiales y militares a quienes le competía la "represión de la producción, el tráfico de drogas" y la supervisión de sus funciones.

-*¿Se puede decir entonces que quedaba claro el papel de los grupos especiales?*

-Así es y todo transcurrió normalmente hasta mediados del 2004, cuando es designado el general Frank Morgado jefe del Comando Antidrogas de la Guardia Nacional, después de acompañar al vicepresidente Rangel a Rusia, para comprar armas, aviones y tanques para equipar a las FAN. En julio le dieron el ascenso y de inmediato comenzó el problema con los llamados Grupos Especiales de Investigación, también denominados fuerzas de tarea, que tenían más de dos (2) años funcionando de manera interrumpida y con el aval de muchísimos logros no solo en cuanto al decomiso de drogas, sino respecto al desmantelamiento de diversas organizaciones criminales que operaban en el país dedicadas al tráfico de drogas no solo para surtir el mercado interno sino el internacional.

-*¿Cuál es la actitud que asume entonces Morgado?*

-Este señor comienza desmantelando todo. Se caen los operativos. Se instala prácticamente el caos. Lo primero que hizo fue arremeter en contra del CICPC, las Policías regionales y municipales. No quería que ninguna de las policías, salvo la Guardia Nacional, actuara en materia de drogas e incluso me manifestó que el Ejército estaba ejerciendo funciones en materia de drogas que no eran de su competencia. La reforma a la Ley de Drogas salió a finales del año 2005 y se le dio competencia a los demás componentes de nuestras fuerzas armadas en materia de drogas. Posteriormente, comenzó su pelea con la DEA y algunos representantes de los enlaces policiales extranjeros y por último con los grupos de las fuerzas de tarea implementados por CONACUID con el apoyo logístico del gobierno de los Estados Unidos. Pero esta situación se extendió en contra del Ministerio Público y la propia CONACUID. Comenzó retirando y cambiando a los funcionarios de su comando que habían sido seleccionados y venían haciendo su trabajo de manera impecable. Esta situación causó gran malestar entre los británicos, quienes habían gastado unos cuantos libras esterlinas para el funcionamiento del grupo. De buenas a primera, sacaba y metía funcionarios de su confianza sin ninguna preparación previa, quería dirigir el grupo a su antojo cuando ya tenía un coordinador de grupo debidamente preparado para ello. Si bien los británicos habían tenido algunos problemas económicos con su gobierno, en cuanto a la reducción del presupuesto para ayudas internacionales, nada de esto desmotivó la creación del grupo, todo lo contrario. Los norteamericanos y británicos se pusieron de acuerdo para que la DEA, proveyera de la logística que faltaba, todo con el fin de trabajar unidos y con un mismo objetivo.

El local donde funcionaban ambas unidades era el mismo, aunque totalmente separadas una de las otras, con teléfonos distintos, fax, entre otros. Y la CONACUID estaba buscando los fondos para comprar sedes para las unidades especiales y para ello había sostenido varias reuniones con el Ministerio de Finanzas con el fin de someter a remate algunos bienes muebles e inmuebles decomisados mediante operativos de drogas, con el fin de poder comprar el inmueble sede de estas dos unidades, debido al gran éxito obtenido en decomisos de drogas. De hecho el 2004 ha sido el año cuando ha habido en Venezuela el mayor decomiso de drogas, hecho este que fue celebrado por la Comisión de Estupefacientes con sede en Viena-Austria, así como por la OEA. En suma, Morgado, se dedicó no solo a desmantelar la unidad que dependía de él, sino a la que dependía del CICPC. Los acusaba de estar traficando con drogas, que hacían entregas controladas, sin conocimiento de los fiscales, de jueces, e inclusive llegó a decir que los fiscales asignados a los grupos estaban en conchupancia con los funcionarios policiales y con la DEA para traficar drogas. Se comenzaron a caer los operativos, la inteligencia comenzó a fallar, empezaron las acusaciones entre la Guardia Nacional y los funcionarios de la policía científica, fue un verdadero caos.

-¿Y nadie interviene para detener este especie de saboteo?

-Al contrario, la Fiscalía por una denuncia de este personaje cambió a los fiscales que venían haciendo su trabajo de manera coordinada y en forma desinteresada. Morgado comenzó a mandar oficios a la CONACUID, a la Fiscalía General, a la Presidencia de la República, al Comando General de la Guardia Nacional, pidiendo la desintegración de los dos grupos, pidiendo mi destitución y la salida de la DEA de Venezuela, a quienes acusó de estar interviniendo los teléfonos de funcionarios públicos y especialmente de tener intervenido los teléfonos del Presidente de la República y los acusó de traición a la Patria. Al principio no sabíamos el por qué de su molestia y cuando se le empezó a investigar presionando a un poco a sus funcionarios, supimos que el general Morgado estaba metido de frente en el tráfico de drogas, presuntamente con el general Ramírez. La pesquisa en algunos casos nos venía indicando que había una persona muy importante de las FAN venezolanas que estaba jugando un doble papel, se hablaba de un "general", pero creíamos que era solo una forma de llamarlo por ser el jefe, el capo, pero resultó que en verdad era un general con dos soles. Por supuesto que las alarmas se prendieron y se comenzó a investigar de manera profunda y de manera exhaustiva, las andanzas de este nefasto personaje, quien además había creado alianza con José Vicente Rangel, vicepresidente de la República, con Jesse Chacón, ministro de Relaciones Interiores y Justicia, Marcos Rojas Salazar, comandante general de la Guardia Nacional Bolivariana y el general Rodríguez Torres, director de la DISIP. Eran acusaciones que venían de ambos lados. La Guardia acusaba al CICPC y a la DEA de traficar con drogas y la DEA y el CICPC a la Guardia de ser aleada de varias organizaciones dedicadas al tráfico de drogas en Venezuela, y muy especialmente a la FARC y a los paramilitares.

-Entonces Morgado se convierte en el hombre fuerte en esta maraña por el control del poder...

-Morgado frustró muchas operaciones de investigación y operativas del CICPC. Su poder era mayor, ya el componente Guardia Nacional tiene una mayor cobertura en el territorio nacional y cuenta con una mayor logística (aviones, barcos, tanques, armas...) más sofisticadas y además están desplegados en puertos, aeropuertos, fronteras, ambiente, entre otras actividades que se desprenden de sus funciones por ley. El poder de la Guardia es superior e incluso en hombres, esta circunstancia la hace y hacia más poderosa y con mayor dominio para controlar de manera impúdica el tráfico de drogas en el país. Tanto Morgado como el comisario Puertas de la policía científica, tenían una guerra a muerte, la DEA estaba en el medio de ambos cuerpos policiales (la G cumple funciones policiales en algunos reglones de acuerdo a la ley que los rige).

-¿Comienzan a desconfiar en el exterior de la voluntad del fallecido presidente Chávez de combatir realmente el crimen del narcotráfico?

-La cooperación internacional, que al principio de mi gestión fue ofrecida de manera desinteresada, ya estaba siendo sometida al cumplimiento de ciertas exigencias por parte del Gobierno Nacional. Los gobiernos europeos y sobretodo la Comunidad Europea tenía sus reservas en cuanto a la política de control y fiscalización en drogas del Estado venezolano. Muchos de estos Gobiernos me decían en mi cara que creían en mí, en mi trabajo, en mis buenas intenciones e incluso en mi honestidad, que ellos habían comprobado, pero que no creían en la voluntad del gobierno del presidente Chávez para resolver el grave problema del tráfico de drogas en Venezuela. Ya a finales del año 2004, estaba muy desilusionada de todo y fue cuando en una reunión con el vicepresidente Rangel, le señalé que tenía la intención de renunciar y regresarme nuevamente al Poder Judicial, debido a que yo estaba solo en comisión de servicio. Él me indicó que el presidente Chávez tenía mucha confianza en mí y que me apreciaba mucho y no iba aceptar mi renuncia, que lo pensara mejor. Sin embargo yo solo estaba esperando que se cristalizara el acuerdo de cooperación con la Unión Europea para solicitar mi reintegro al Poder Judicial.

-*¿Qué más argumentaba Morgado contra la DEA?*

-En sus comunicaciones me planteaba que la DEA no compartía la información de manera oportuna y confiable, ni los datos de las personas y otros elementos importantes para la investigación. Que no adelantaban planes destinados a desarrollar cursos seminarios etc. Que la logística aportada no era suficiente para la calidad de la investigación en materia antidroga. Que se observaba una política de conveniencia de parte de los funcionarios de la DEA y por último que no existía una disciplina en los integrantes de las unidades especiales (Comunicación No CO.CA-AY001246 de fecha 03.03.05, recibida en la CONACUID en fecha 07.03.2005, suscrita por el Gral. Brigada G.N Frank Morgado González). Le respondí que las unidades estaban bajo la responsabilidad y la supervisión del Órgano Rector en drogas, o sea la CONACUID, y en ningún momento bien por vía oral o por vía escrito los coordinadores de dichos grupo se habían dirigido a esta institución haciéndole saber de estas inquietudes, todo lo contrario se sentían satisfechos por el trabajo que estaban realizando y conforme con todos los instrumentos de última tecnología que le habían aportado las dos embajadas para los procesos de investigación de inteligencia en drogas. En todo caso, si él tenía dudas con respecto al funcionamiento de las unidades, la GN solo estaba apoyada por la embajada británica, porque la DEA apoyaba era a la unidad que estaba conformada por funcionarios del CICPC. Es decir, la DEA no intervenía directamente en los trabajos de inteligencia desarrollados por la unidad conformada por funcionarios de la G.N, ya que estos dependían directamente de los datos que le reportaban los británicos. No se entendía el contenido de la comunicación porque la Guardia Nacional no trabajaba con la DEA y en cuanto a los cursos ambas embajadas se habían comprometido a la formación continua de los funcionarios en la materia y ya se había cumplido la primera fase de la capacitación, que habían sido los primeros cursos de capacitación y formación para el inicio del programa. De manera que los argumentos de Morgado no tenían ningún asidero ni jurídico ni formal, solo era una manera de causar problema y generar crisis en los dos grupos.

LOS GRUPOS NECESARIOS CON EL APOYO DEL FISCAL

La jueza Camero había actuado correctamente para los grupos especiales que se crearon. El fiscal Isaías Rodríguez había tomado la iniciativa de autorizar la creación de dichos grupos de inteligencia bajo la responsabilidad de la CONACUID, desde el punto de vista de la logística, pero con la supervisión directa del Ministerio Público.

-En definitiva usted, con la creación de los grupos especiales estaba siguiendo las recomendaciones que le hacían diversos organismos internacionales...

-Prácticamente, esto fue además una solicitud que me hicieron los cuerpos policiales extranjeros acreditados en el país, en vista de las miles de irregularidades que se presentaban en los procesos de investigación en materia de drogas. Tanto la DEA como algunos funcionarios miembros de países de la Unión Europea, estaban de acuerdo ya que en muchos de ellos, se habían creados estos grupos de inteligencia con muy buenos resultados en materia de investigación en drogas como es el caso del Reino Unido, Francia, Italia, Holanda, España etc.

La solicitud planteada por los enlaces extranjeros fue consultada por ante el Comando de la GN y del CICPC. Este último cuerpo policial consideró válida y útil la solicitud. Pero en el Comando Antidrogas de la GN, hubo discrepancias entre el general Miguel Ramírez y el coronel para ese entonces Páez Cabrera. Discutido el caso con el equipo de asesores jurídico de la CONACUID, decidí llevar la propuesta ante el fiscal General Isaías Rodríguez, antes habíamos consultado con la vice fiscal Iris Penso y con la directora de drogas de la Fiscalía Pérez Díaz. En la entrevista con el Fiscal General, se le hizo el planteamiento e incluso se le mostraron documento de inteligencia en donde se dejaban asentado las diferentes irregularidades que se venían presentando durante la investigación, las múltiples irregularidades en los decomisos y sobretodo la impunidad de los cuerpos policiales y la gran participación de funcionarios policiales en el trafico de drogas.

-¿Cómo acogió el Fiscal General esta propuesta?

-El fiscal Isaías Rodríguez acordó someter la solicitud planteada a la Consultoría Jurídica de dicha Institución y solicitó conversar con funcionarios policiales extranjeros como nacionales para conocer mejor el problema de fondo y en qué consistían en la práctica los grupos de tarea, sus funciones y básicamente la participación de los funcionarios policiales acreditados en el país. Se hicieron muchas reuniones al respecto, hasta que un día la doctora Penso me pidió una audiencia para hablar sobre el tema. Nos reunimos y me indicó que el fiscal Rodríguez había tomado la iniciativa de autorizar la creación de dichos grupos de inteligencia bajo la responsabilidad de la CONACUID, desde el punto de vista de la logística, pero con la supervisión directa del Ministerio Publico. Se asignarían dos fiscales que asistirían las 24 horas al grupo. La DEA solo podía brindar el apoyo logístico, pasar información al grupo pero estos se dedicaban a realizar la inteligencia y una vez obtenida y verificada esa información se daría a los cuerpos policiales operativos para su ejecución. Ningún organismo policial de inteligencia podía intervenir directamente en los operativos, si había una entrega vigilada su participación era solo la de trasmitir la información y dejar que los órganos de policía venezolana, hicieran el operativo. Fueron intensos días de reunión hasta que la Consultoría Jurídica de la CONACUID publicó en Gaceta Oficial la Resolución Ministerial No RM1 de fecha 04 de marzo del 2002.

-Estaba usted logrando sus objetivos...

-Bueno sí, es importante destacar que al principio, la idea era la creación de un solo grupo especial de inteligencia, pero los británicos tuvieron conocimiento, por medio de la DEA, de esta iniciativa gubernamental, y decidieron unirse. Solicitaron a la CONACUID su participación. Hasta los momentos el grupo iba a ser conformado por funcionarios del CICPC, división de drogas. Pero los británicos se reunieron con el Comando Antidrogas y decidieron ellos dar el apoyo a funcionarios de la Guardia

Nacional, anteriormente denegada por el general Ramírez quien se negaba a trabajar con la DEA. De esta manera se crearon los dos grupos, siempre bajo la supervisión de la CONACUID, pero con el apoyo logístico de la DEA para el grupo conformado por funcionarios del CICPC y el de la Guardia Nacional, con el apoyo de los británicos. Ahora bien, los integrantes de estos grupos fueron sometidos a diversas pruebas con el fin de verificar su sentido de responsabilidad, su lealtad, su compromiso con la institución, con el país, con el cuerpo al cual pertenecían, conocimientos en la materia, pruebas de inteligencia, el polígrafo, se le dictó una serie de cursos relacionado con el trabajo que debían de realizar, se hizo un perfil del funcionario que se quería para realizar este tipo de trabajo, con apoyo de psicólogos, trabajadores sociales etc. El proceso de selección nos llevó varios meses hasta lograr obtener un perfil del funcionario que queríamos para realizar el trabajo de inteligencia en un campo tan contaminado como es el tema de las drogas. A su vez cada una de las instituciones comprometidas, aportaron sus mejores hombres, con mayor experiencia, experticia y determinados estudios en el área de inteligencia y contrainteligencia.

LA MODERNIZACIÓN ABORTADA DEL PUERTO

Unos de los espacios estratégicos para el tráfico de drogas era el manejo del puerto de Puerto Cabello. Allí la jueza Camero había presentado un moderno proyecto para detectar las operaciones ilegales. Pero, sin esperarlo, un capitán con fama de buen gerente impide que modernicen las instalaciones con una actitud censurable. Era el hoy gobernador del Táchira capitán Vielma Mora.

-¿Qué pasó entonces con lo acordado con el ex gobernador Salas Feo para modernizar las operaciones de detección de droga en el puerto de Puerto Cabello? ¿Cuáles fueron los resultados de dicho acuerdo?

-Venezuela, tenía firmado un contrato de cooperación con el Gobierno de los Estados Unidos desde hacía mucho tiempo y que se renovaba todos los años, para poder incluir los fondos en el nuevo presupuesto que debía aprobar el Congreso norteamericano. Cuando llego a la CONACUID, se puso en marcha la renovación del acuerdo correspondiente a ese periodo legislativo, y se incluye dentro de la nueva propuesta la del mejoramiento, modernización y actualización del puerto de Puerto Cabello. Para la época el puerto estaba bajo la administración de la Gobernación del estado Carabobo y se firma un subcontrato con el gobernador Henrique Salas Feo, en donde por la vía de la cooperación internacional se iban a dar los recursos para la ejecución del proyecto. Desafortunadamente, el gobernador Salas Feo pierde las elecciones, asume la gobernación del estado Luis Felipe Acosta Carles y el proyecto se paraliza, ya que Chávez decide quitarles la administración de los puertos a los Gobernadores y asume su administración el Ejecutivo Nacional. Comienza el proceso de centralización de casi todas las instituciones del Estado. El proyecto tenía como fin modernizar el puerto de Puerto Cabello, la idea era que fuera el más moderno de Latinoamérica, con un costo superior a los 2.000 millones de dólares, en donde el gobierno venezolano no iba a poner ni medio y que todo era producto de la cooperación internacional. ¿Qué era lo positivo del proyecto?, que iba resultar muy fácil para los funcionarios por los múltiples controles que formaban parte del mecanismo de seguridad del mismo, detectar el ingreso y salida de drogas y de químicos y muy difícil para los traficantes evadirlos. En ese proyecto estaba la dotación de almacenes, los camiones giraban y con un laser se detectaban todo lo que tenían los contenedores. Cuando yo fui a Colombia a observar cómo funcionaba quedé sorprendida pero era más costoso porque no es como nosotros que tenemos petróleo y la gasolina más económica. Era lo más moderno de Latinoamérica. Por cierto en relación a este punto de los químicos se tenía como base fundamental del proyecto una rayos láser de gran alcance y súper moderno para la detección de químicos, que por cierto era una de las nuevas empresas en la que estaba incursionando la familia Makled, cuando la empresa estatal PEQUIVEN le acababa de dar una concesión para la exportación de la urea, fertilizante sometido al régimen de control no solo por la ley de drogas de Venezuela, sino también por la Convención de Viena de 1961, por estar siendo utilizado por los traficantes colombianos para elaborar cocaína y explosivos. Vale recordar que a la Familia Makled se le decomisó cierta cantidad de urea en Santa Elena de Uairén a mediados del 2004, no pudiendo demostrar la procedencia de la misma y el por qué se encontraba en dicho galpón, así como por que los inventarios no coincidían con las cantidades señaladas en la documentación otorgada por el organismo oficial (PEQUIVEN).

¿Qué pito toca Vielma Mora en todo esto?

-Lo que vino después fue una verdadera lucha para poder continuar el proyecto, ya que había el dinero y la voluntad de la CONACUID para su ejecución porque el mismo era supervisado por este organismo, mas si bien es cierto los recursos eran administrado por el NAS (sección del Departamento de Estado que da los recursos para la ejecución de proyectos en drogas), había que sacar permisos de varios ministerios y organismos del estado para la conclusión de la ejecución del proyecto. Uno de esos organismos era el SENIAT, y la propia embajada se encargó de efectuar conjuntamente con la consultoría jurídica de la CONACUID, la realización de estas diligencias. Era difícil contactar al señor José Vielma Mora, pero el encargado del NAS, al parecer lo conocía y quedó en reunirse con él. La ejecución del proyecto se demoraba, hasta que un día, el representante del NAS, señor Smille, me llamó urgente al despacho solicitándome una audiencia. Nos reunimos y me manifestó lo siguiente: que había hablado con Vielma y este le había propuesto la creación de tres empresas, para que licitaran y pudiera ejecutarse el proyecto, incluso el procedimiento para la licitación estaba abierto y ya habían presentado los documentos varias empresas. Las tres empresas a licitar estarían conformadas por personas conocidas y vinculadas supuestamente a Vielma Mora, de manera que cualquiera que ganara siempre iba a ser protegida de él. Evidentemente que el funcionario iba a obtener una ganancia económica en dólares por este "favorcito". Me molestó muchísimo el cinismo de este señor y le dije al gringo que eso era un delito previsto en la Ley de Corrupción y que debíamos denunciarlo, pero el señor Smille me dijo si lo hacemos no vamos a poder ejecutar el proyecto doctora y usted sabe que por Puerto Cabello no solo está saliendo drogas, sino químicos hacia Colombia para elaboración de drogas, especialmente cocaína. Yo voy a seguir conversando con él. Pasaron como tres meses, hasta que se obtuvo la documentación correspondiente de parte del SENIAT para continuar con el proyecto. Al final supe, no me consta, que al parecer Vielma Mora recibió una cantidad de dinero en dólares por otorgar los permisos para la realización del proyecto. Sé que los gringos le abrieron un expediente y tenían pruebas de muchas de las irregularidades de este funcionario. Se dice que recibiría la cantidad de 350.000 dólares cualquiera fuera la empresa ganadora. Como dato curioso debo señalar que el señor Smille era un militar de inteligencia del ejército de los Estados Unidos que estaba ejerciendo cargo diplomático dado su experiencia en el tema de las drogas. Smille fue posteriormente transferido a Afganistán, a coordinar todo lo relativo a la inteligencia en ese país. Desafortunadamente, el gobernador Salas Feo pierde las elecciones, asume la gobernación del estado Luis Felipe Acosta Carles y el proyecto se paraliza, ya que Chávez decide quitarles la administración de los puertos a los Gobernadores y asume su administración el Ejecutivo Nacional. Comienza el proceso de centralización de todas casi todas las instituciones del Estado.

-¿Usted sugiere entonces que a ese proyecto que iba a darle transparencia al puerto de Puerto Cabello le dio una estocada de muerte el capitán Vielma Mora?

-El capitán Vielma Mora, solo participo fue para dar unos permisos para la ejecución del proyecto. Pero quien se opuso a la ejecución del proyecto porque ponía en riesgo su negocio fue Walid Makled.

PESCADORES ASESINADOS

Grupos paramilitares que operan en Sucre lanzan los paquetes de drogas en las aguas del mar donde luego son recuperadas por los narcotraficantes. Allí se producen crímenes contra indefensos pescadores quienes sin siquiera conocer el problema son víctimas de las operaciones que realizan los narcos con la protección del componente militar.

-Cuéntenos de un operativo que se realizaría en Cumaná y la actitud del general Alexis Maneiro, ¿qué posición tenía además este general?

-Alexis Maneiro era un general de la GN que estaba en el comando regional 7 ubicado en el estado Sucre, este estado es muy problemático, ahí hay paramilitares, hay terrenos grandísimos donde se entierra la droga, se enfría y después es que se saca para colocarla y efectuar lo que llaman el bombardeo de la droga, es decir la droga es lanzada desde un avión o avioneta, es decir la vas tirando al mar y no es que ameriza en el agua, sino que la tiran en el mar o río y están los pescadores o personas que se les paga para ello y la van recogiendo. Resulta que el estado Sucre es muy problemático, a los pobres pescadores lo han sacado de su zona porque ellos salen a pescar y a veces han conseguido bultos de cocaína y muchos de ellos se apoderan de la droga y posteriormente han desaparecido, o los han matado. Algunos también han visto lo fácil que resulta obtener dinero se han metido en el negocio y también hacen tumbes, allí se ha presentado esta práctica, ha habido muchos muertos porque los paramilitares son los dueños. El general Maneiro estaba en conocimiento de esto, tenía alianza con el gobernador de turno y con grupos paramilitares desde que él llegó allí. Ese estado y Carabobo son donde se maneja y negocia más droga en el país. Este Maneiro era un descarado, se tenía previsto un operativo en el estado Sucre, se estaba esperando una entrega creo que eran como 1.000 kilos de cocaína que venían de Colombia, en entrega controlada. Paul Abosamra y el jefe de operaciones del Comando Antidrogas de la Guardia se reúnen conmigo y revisamos todo y me dicen que esté pendiente que se va a realizar de viernes para sábado, vamos a trabajar solo con la Guardia Nacional que son los que tienen más contactos. Yo pensaba ir a Cumaná a reunirme con el general Maneiro, pero se me presentó un problema en la Comisión y no pude ir. Pero Paul, el jefe de la DEA acompañando a algunos funcionarios del Comando Antidrogas de la GN, fueron a Cumaná a reunirse con el General, para hacerle saber del procedimiento policial que se iba realizar. Pero al momento de ejecutarse el operativo el mismo fue abortado, se presentó un enfrentamiento donde resultaron heridos entiendo que un agente de la DEA y un oficial de la Guardia y hubo un muerto de parte de los traficantes. Al parecer el General fue quien dio los detalles a los delincuentes del procedimiento policial que iba a efectuarse.

-¿Y qué pasó con el general Maneiro?

-A partir de ese momento la DEA le montó una cacería a Alexis Maneiro, tenían grabaciones, fotografías y empezamos a averiguar que ese hombre no tenía escrúpulos, el tipo era un descarado pero fue tanta la presión por ese caso que lo sacaron. Chávez lo nombró entonces Director de la Academia Militar.

GUERRA A LA CONACUID

Los servicios de inteligencia británicos ya habían alertado a la jueza Camero sobre la actitud y ambiciones del general Frank Morgado quien estaba molesto porque él quería dirigir la administración de la CONACUID. Y es el propio Morgado quien intenta en varias oportunidades, en el despacho de la jueza, meter cizaña en contra de los británicos y sobretodo en contra de la DEA, hasta que comienza a actuar en contubernio con José Vicente Rangel para sacar a la DEA del país.

-¿Qué es entrega vigilada?

-Las entregas vigiladas eran una práctica de carácter policial que se usaba en los Estados Unidos y en la Gran Bretaña inicialmente, posteriormente se fue generalizando en Canadá y otros países europeos. Y consistía en que la droga, que era trasladada de un lugar a otro, era vigilada por la policía. Ahora bien, pero como la droga por lo general era llevada o trasladada a través de varios estados de la unión americana, y como cada estado en ese país tiene su propia constitución y por ende sus propias leyes, se les solicitaba a las policías de cada uno de los estados por donde pasaba la droga, que la vigilara y controlara para que no se extraviara, hasta que llegara a su destino final. Pero se presentaban muchos inconvenientes con las policías y las leyes de los estados por donde pasaban los cargamentos o alijos de droga. Cuando se crea la DEA, para solucionar los diferentes problemas que se presentaban por la práctica policial, se le da competencia Federal en investigación de drogas y lavado de dinero productos de la comercialización de la drogas y se acaba el problema porque la DEA tiene competencia en todo el territorio de los EE.UU, pero también se da inicio a otra figura jurídica, que es la del policía encubierto, que se podía infiltrar en el procedimiento con el fin de controlar o vigilar toda la operación hasta llegar a feliz término. La idea con esta práctica policial es decomisar la droga, detener a los traficantes y desmantelar las organizaciones criminales.

-¿Cómo es utilizada esta figura policial en Venezuela?

-Con la ley de drogas (Ley Orgánica sobre Sustancias Estupefacientes y Psicotrópicas), del 13 de agosto de 1993, se establece en el artículo 74, el procedimiento de entrega vigilada de drogas, mas no así, el de las entregas controladas. En la práctica lo que hacía la policía era vigilar el paso de la droga, pero se infiltraban civiles. El procedimiento era autorizado por un juez y se notificaba al Ministerio Público. Sin embargo al inicio se presentaron muchos inconvenientes en el desarrollo de los procedimientos policiales. Quiero señalar que yo misma estaba confundida y consideraba que las entregas vigiladas eran diferentes desde el punto de vista operativo de las entregas controladas. Es decir, en la primera, la policía supuestamente solo actuaba como vigilante de la operación sin participar en ella, cosa que en la práctica no fue así; y que en las entregas controladas sí había una participación activa y directa del funcionario policial, que se infiltraba en la operación. Este mito con respecto a las entregas vigiladas y controladas, desapareció cuando hice varios cursos en los Estados Unidos sobre drogas en Quántico, Virginia, y con la DEA. Y pude entender que es lo mismo entregas vigiladas o controladas porque en ambos los funcionarios policiales se infiltran como agentes encubiertos con el fin de tener un control total de la operación. Ahora bien, en Venezuela, la posición del Ministerio Público y del fiscal Iván Darío Badell, era la de que ningún funcionario policial podía participar en la operación sino solo vigilar el paso de la droga, dado que en nuestro sistema jurídico penal esta práctica policial ingeniosa constituía una violación flagrante al estado de derecho, porque configuraba por parte del funcionario policial la comisión de los delitos de instigación a delinquir y simulación de hechos punible, tráfico de drogas y corrupción de funcionarios etc. El Congreso de la República cuando incluyó las entregas vigiladas en el texto de la Ley, tomó muy en consideración estos argumentos del Ministerio Público. Así era que supuestamente bajo este enfoque previsto en la Ley, se realizaban las entregas vigiladas en el país, aunque en la práctica sucediera lo contrario. Personalmente, siempre sostuve que en los delitos sobre instigación a delinquir el instigador lo que hace es instar para que se cometa un delito, mientras con las entregas vigiladas el sujeto que se infiltra lo que hace es evitar que cometa un hecho punible, por lo tanto no puede hablarse de simulación de hechos punible porque la operación la autorizaba un juez y se realizaba bajo la supervisión del Ministerio Público. Ya son etapas superadas, porque esta práctica policial está actualmente recogida en la Ley Contra la Delincuencia organizada, muy actualizada y conforme las reglas establecidas en la Convención de las Naciones Unidas (Viena) contra El Narcotráfico de 1988. En honor a la verdad la policía venezolana a través de esta práctica policial universal de las entregas vigiladas ha realizado los mejores procedimientos y operativos en drogas, durante muchos años con el apoyo del Poder Judicial y del Ministerio Público de la época.

-Es decir que a pesar de algunas diferencias de criterios al final se actuaba apegado a la normativa legal...

-Sí, siempre no remitimos a lo que decía la ley. No podíamos ni los jueces ni el Ministerio Público y muchos menos los funcionarios policías actuar fuera de la Ley. Si tuve conocimientos de algunos casos realizado por Policía científica y la GN, en la que se actuaba de manera personalista. Pero para eso estaban los fiscales del ministerio público y el juez para poner los correctivos necesarios. Las veces que me correspondió autorizar una entrega vigilada siempre estuve muy pendiente de ella e incluso participe personalmente en muchas de ellas como observadora con fin de supervisar el procedimiento y evitar confusiones que pudieran generar en enfrentamientos con muertes y heridos, para esa época los fiscales con competencia en drogas eran muy activos y colaboradores como era el caso del doctor Alfonzo Márquez Saavedra quien estaba siempre atento a este tipo de procedimientos. A pesar que en el pasado hubo muchos enfrentamientos entre jueces, fiscales y policías sobre las entregas vigiladas al final se convirtió en una práctica policial rutinaria bajo la estricta supervisión del Poder Judicial y el Ministerio Público.

-¿Qué le decían los británicos de esta situación?

-En conversaciones privadas de mi persona con los británicos ellos me señalaron que el general Morgado estaba molesto porque él quería manejar las finanzas del grupo que eran llevadas conjuntamente por ambas embajadas y la Dirección de Administración de la CONACUID. Los propios oficiales me comunicaron que él quería saber cuánto dinero en bolívares o dólares manejaba cada unidad y cómo se distribuía, él quería formar parte de la administración del dinero y cómo y en qué se invertía. Es que quería ponerle la mano al dinero que él creía que eran dólares porque una vez mientras conversábamos por teléfono me hizo referencia a ello y yo le contesté que era competencia de la CONACUID y las embajadas y como lo sentí que se fue por la parte política, le seguí insistiendo en la necesidad de mantener los grupos de manera apolítica solamente como unidades técnicas dedicadas a realizar inteligencia como hasta ahora lo venían haciendo. Morgado llamó varia veces a mi despacho con el fin de meter cizaña en contra de los británicos y sobretodo en contra de la DEA, como vio que no le hacía caso, decidió actuar por sí solo.

-Usted estaba en Viena y la doctora Eddy Millán secretaria de la CONACUID le informa que el general Morgado había invadido las unidades especiales. ¿Qué ocurrió realmente?

-El mes de marzo es un mes muy activo para todas las comisiones de drogas de los países miembros de las Naciones Unidas, y sobre todo aquellos países que forman parte de la comisión de estupefacientes con sede en Viena, ya que se realizan las muy conocidas reuniones anuales en donde se analizan las políticas globales y nacionales de los distintos países. Esta reunión es una de las más esperadas por su trascendencia a nivel mundial. De esta reunión salen las diferentes políticas que los estados miembros deben adoptar, cumplir y ejecutar en materia de interdicción (represión), prevención y tratamiento y rehabilitación en drogas. También se revisan lo relativo a los químicos y su comportamiento en cuanto al uso, abuso y desviación de los mismos. Asisten solo Ministros a quienes les compete el tema de las drogas y técnicos debidamente acreditados por los países. Ese marzo del 2005, viaje a Viena (Austria) a la reunión anual, que dura dos semanas, al segundo día de encontrarme en la reunión recibí un correo urgente, que debía comunicarme con la CONACUID. De inmediato me puse en comunicación con la doctora Eddy Millán secretaria de la presidencia de la CONACUID y me comunicó que el general Morgado en la madrugada había invadido las unidades especiales desmantelándolas, llevándose todos los equipos que en ellas se encontraban, incluyendo computadora, teléfonos, fax, vehículos y otra serie de instrumentos de alta tecnología utilizados por los cuerpos policiales especializados en el área de la inteligencia. De inmediato me puse en contacto con la doctora María Elena de Verde, consultora Jurídica de la Institución y le di las instrucciones necesarias para que de manera inmediata se pusieran a la orden de la CONACUID lo arbitrariamente sustraído y fueran devueltos a las respectivas unidades. Los días pasaban y la situación se ponía más tensa en Venezuela. Morgado se negaba a devolver lo sustraído, le giré instrucciones a la doctora Verde para que hiciera las denuncias ante la fiscalía y el CICPC. Lo llamé varias veces sin resultado alguno, ya que no devolvía mis llamadas. Al cuarto día de la reunión tal como estaba en la agenda le tocaba a Venezuela dar un informe antes los miembros de la Comisión sobre los logros obtenidos en materia de interdicción, prevención y tratamiento y en relación a las sustancias químicas. Después de concluida la reunión en Viena debía viajar a Bruselas a una reunión con la Unión Europea, relacionada con una ayuda económica y técnica para la realización de un estudio epidemiológico en Venezuela. Tuve que suspender ambas reuniones y regresé a Venezuela. Me comuniqué con el general Morgado y le di un plazo de 24 horas para que devolviera los bienes. Le indiqué que lo había denunciado y que haría una rueda de prensa indicando lo ocurrido. Me indicó que él necesitaba el inventario de los bienes y determinar a qué institución pertenecían porque si la Guardia Nacional estaba trabajando con ellos era porque eran de la Guardia. Le indiqué que yo estaba trabajando con bienes del estado que incluso habían sido donados bajo la figura de la cooperación internacional y que esos bienes no eran míos sino del estado venezolano. Le indiqué que los funcionarios públicos no éramos dueños de los bienes que se encontraban en nuestras oficinas o dependencias, sino eran nuestros instrumentos de trabajo pero que pertenecían al Estado y no como él alegaba que eran de él y que por lo tanto podía disponer de ellos, y hasta que no se le demostrara lo contrario él no lo devolvía. Le indiqué que esa actitud le iba a traer consecuencias muy graves. Me comuniqué con el vicepresidente de la República, con la Fiscalía, les expliqué la situación. Ninguna de estas Instituciones aportaron soluciones y me mandaron a conversar con el comandante de la Guardia Nacional, quien para ese momento era el general Marcos Rojas , lo cual hice y le mostré las pruebas de todos los percances que había ocasionado Morgado desde el momento que asumió el cargo de Jefe del Comando Antidrogas de la Guardia Nacional, e incluso le entregué un dossier de todas y cada una de sus comunicaciones, e informes levantados en contra de los funcionarios policiales y fiscales del Ministerio Público. Por cierto, este general me preguntó que si conocía a Luis Correa y le dije que no, me pareció extraño, porque esa misma pregunta me la había formulado José Vicente Rangel días después en la última reunión que sostuve con él. Rojas prometió que hablaría con Morgado en relación a los bienes. Unos días después Morgado envió las computadoras a la CONACUID, giró instrucciones a sus funcionarios de retirarse del programa, me lo comunicó verbalmente a través de su segundo al mando, lo mismo hizo el director del CICPC, y la Fiscalía, quienes mediante oficios recibidos en la Institución decidieron igualmente no seguir en el programa. Digo programa porque cuando se trabaja con acuerdos de cooperación internacional, la creación y establecimiento de proyectos macro bien sea en las área de interdicción (represión), de prevención y tratamiento, se desarrolla por medio de programas, sometidos a constantes evaluaciones con el fin de medir su eficacia y efectividad. De acuerdo a la medición al cual sean sometidos continúan o desaparecen o se reformulan. Las unidades especiales fueron concebidas como programas y se estaba evaluando su rendimiento, que de acuerdo al barómetro elaborado, había pasado las expectativas esperadas, es decir, el éxito era rotundo, habíamos decomisados más drogas que los demás años superiores y habíamos desmantelado grupos criminales y laboratorios para la fabricación de drogas, así como algunas pistas clandestinas.

-*¿Qué hizo con la información que tiene sobre lo investigado?*

-Parte de esa información no está en Venezuela, porque formaba parte de la investigación que estaba haciendo la DEA. Yo solo las revisé, las oí y las vi, ya que eran documentos, fotografías, videos, grabaciones etc. Otra parte se quedó en los archivos de la CONACUID, y espero que aún se encuentren allí, porque tengo entendido que Luis Correa, a su llegada a la Comisión, quemó todos los archivos de la institución, es decir la "memoria histórica del organismo", lo cual constituye un delito, y espero que algún día responda por ese crimen. Hay otro grupo de documentos, que son copias y que tiene que ver con los bienes que pertenecían a los grupos especiales y que fueron sustraídos por Morgado cuando allanó el local donde estos funcionaban. Pero evidentemente los Informes de inteligencia que buscaban Morgado y Correa, en donde aparecían involucrados ellos y su entorno, principalmente Morgado, además de otros jefes de varias oficinas públicas, estaban en manos de la DEA y de los británicos. Morgado estaba interesado en saber si lo estaban investigando, estaba obsesionado con eso, nosotros lo sabíamos. Y evidentemente estaba siendo investigado. Sabíamos cuáles eran sus contactos en sus negocios de drogas, a quienes estaba extorsionando, con quién trabajaba, cuál era su modus operandi y las grandes cantidades que cobraba por facilitar el tráfico de drogas ilícitas. Lo que él quería era desaparecer las informaciones que suponía estaban en las computadoras de los grupos especiales. Pero esa información no estaba allí, era demasiado delicada para dejarla a merced de funcionarios policiales venezolanos. Probablemente había alguna que otra información sobre alguno de sus contactos, o de nombre al cual estuviera vinculado, pero el grueso de la información, la tenía era la DEA, y creo que los británicos. Incluso después que salí de la CONACUID, pude ver muchísima información que comprometía a Morgado seriamente con el tráfico de drogas y esto lo afirmo como juez. Sin embargo la DEA no me dio ningún tipo de documentos. Solo tengo en mi poder una copia de una denuncia hecha en su contra por un comerciante del estado Nueva Esparta, por el delito de extorsión. Al parecer Morgado le pidió cinco millones de bolívares para no involucrarlo en una presunta investigación por legitimación de capitales que él estaba dirigiendo. Hay uno que otro documento en relación a él, pero de menor importancia.

-*¿Qué tipo de información podía encontrarse en la computadoras que Morgado se llevó de los grupos especiales, era posible acceder a ella?*

-Como dije anteriormente, Morgado estaba desesperado por conocer cuáles eran las pruebas que tenía la DEA en su contra y qué material había en las computadoras de los grupos especiales de inteligencia, sobre todo las que llevaban los funcionarios del CICPC. Y por eso involucró a la DEA en simular tráfico de drogas por medio de las entregas vigiladas, de efectuar intervenciones telefónicas a altos funcionarios del Gobierno de Chávez, incluso al mismísimo Chávez. Morgado estaba desesperado porque él sabía que lo estábamos acorralando. Pero lo que no sabía era que toda la información era clasificada por ser hipersensible y que para accesar a ella necesitaba de una clave y como no pudo sacar la información lo que hizo fue romper las computadoras. Cuando pudimos recuperar partes de los bienes sustraídos por él, incluyendo algunas computadoras se ordenó una experticia con el CICPC, en donde se dejó constancia de los daños ocasionados a las mismas y afortunadamente muchas de esas informaciones se mantuvieron intactas dado que les fue imposible a estos delincuentes, acceder a ellas. Ahora bien, por tratarse de informaciones sensibles la gran mayoría de estas son trasmitidas y archivadas en EPIC (siglas) en inglés, que es el Centro de Inteligencia más grande del mundo ubicado en El Paso, Texas, E.U.

JESSE CHACÓN SE UNE A LA OFENSIVA

Al entonces Ministro del Interior Justicia y Paz, Jesse Chacón, no le gusta el hecho de que la CONACUID con rango de Ministerio de Estado dependiera directamente de la presidencia de la República y no de él. Quién sabe por qué al ministro Chacón le interesa ponerle la mano a la CONACUID y por qué cuando se da cuenta de que no puede se une a otros personajes en un contubernio perverso no solo para destruir a la jueza Camero y su gestión en el organismo sino para acabar con la CONACUID.

-¿Por qué se molestaba Jesse Chacón si no estaba autorizado para exigirle cuentas en virtud del rango ministerial de su cargo en la CONACUID ?

-Jesse Chacón fue nombrado ministro de Interior y Justicia y desde que asumió el cargo le molestaba que la CONACUID no le rindiera cuenta siendo él Ministro. Sabía de los éxitos de la CONACUID, de cómo se trabajaba integrada con los cuerpos policiales venezolanos y con los enlaces extranjeros de los distintos países acreditados en el país y como estaba fluyendo la cooperación internacional, de tal manera que constantemente el presidente Chávez recibía excelentes manifestaciones de solidaridad por el trabajo que veníamos realizando desde la CONACUID. En varias ocasiones el presidente Chávez me lo hizo saber personalmente y por medio de sus más allegados de su complacencia por el reconocimiento a nuestro trabajo en el exterior. Esto no le agradaba a Chacón, quien además consideraba que por ser el Ministro de Interior solo a su ministerio y por ende a él, le correspondía dirigir a los cuerpos policiales venezolanos sin excepción y sin ningún tipo de exclusión por el delito. En otras palabras, Chacón consideraba que los operativos y todo lo relacionado con el tema de las drogas debían depender solo de su ministerio y no de ningún otro organismo del estado. No entendía por qué la CONACUID tenía que coordinar esta parte represiva sin su conocimiento y aprobación. Para él, la CONACUID tenía que dedicarse solo a hacer prevención en área de drogas. Sin embargo tenía y tiene un gran desconocimiento del contenido de la ley de drogas y sobre todo de las atribuciones de este organismo.

-¿Puede explicarnos didácticamente el contenido de la Ley de drogas vigente para el momento en que usted se desempeñaba como Presidenta de la CONACUID ?

-Para aclarar un poco comienzo a decirle que la Ley de drogas de 1993, en su artículo 209 señalaba lo siguiente: La Comisión Nacional contra el Uso Ilícito de Drogas (CONACUID), tendrá entre otras, las siguientes atribuciones: 1-Planificar las Políticas Públicas y estrategias del Gobierno Nacional, en el área de control, fiscalización, represión, prevención, tratamiento, reincorporación social y relaciones internacionales; 2-Preparar los programas, operativos en los campos de control, de fiscalización, represión, prevención; 3-Coordinar los organismos estadísticos y de información, el centro de información de drogas, el banco de datos y el centro de inteligencia...; 6-Crear los comités o grupos de trabajo que estime conveniente para cumplir sus objetivos...; 9-Asesorar al Ministerio de Relaciones Exteriores en las relaciones internacionales sobre la materia de drogas...; 10-Coordinar a nivel estratégico los cuerpos policiales y militares a quienes compete la represión, de la producción, el tráfico de drogas y supervisar sus funciones.

-Al parecer Jesse Chacón ignora el contenido y espíritu de la ley y más bien se empeña en destruir lo que se estaba haciendo para salir adelante con esta normativa...

-Así es, de manera que Chacón hizo todo lo posible para que la CONACUID fracasara y consiguió sus aliados perfectos: Frank Morgado, José Vicente Rangel, Marcos Rojas Figueroa y Luis Correa y fraguaron toda la artimaña contra la DEA y la CONACUID. Morgado sabía cuál era la fórmula perfecta y cuál sería el detonante para destruir de hecho como se hizo, a la CONACUID y eran precisamente los grupos especiales de inteligencia y el apoyo de la DEA a los mismos. Morgado levantó un expediente con testigos falsos, con actas y documentos falsos, fotografías de supuestos funcionarios de inteligencia de los grupos, cuando es harto conocido, que quien hace inteligencia no debe actuar o participar en los operativos, por lo menos es una regla en las policías extranjeras. Y este material fue el que Rangel entregó al presidente Chávez, previamente con una anticipación del caso hecha por Chacón al Presidente y de allí saben todos lo sucedió, a mí me sustituyeron según la Gaceta Oficial, lo que es equivalente a una elegante de destitución y a la DEA, la sacaron de Venezuela. Pienso que debo aclarar que yo tengo copia del montaje que hizo Morgado y fue entregado al presidente Chávez. La copia la obtuve a través de la DEA, quien la compró por varios miles de dólares en el Comando

Antidrogas de la GN, a uno de los secuaces de Morgado, que por cierto despotricaba en su contra.

-Intentaron colocarla contra la pared...

-En ningún momento me sentí contra la pared ya que consideraba que estaba haciendo las cosas bien, porque tantos los oficiales decentes de la GN, como los funcionarios honestos del CICPC, me apoyaban y creían en mí. Además aunque me quede feo decirlo tenía el apoyo de la comunidad internacional y eso lo pude comprobar después de mi salida del organismo. Muchas fueron las manifestaciones de cariños de los embajadores y demás funcionarios diplomáticos acreditados en nuestro país. Todavía mantengo excelentes relaciones con ellos a través del correo electrónico y ni hablar de los enlaces policiales; algunos de ellos han conseguido que asista a seminarios y que dicte talleres en el extranjero. Ahora tengo que decir que no recibí ningún apoyo de ninguna institución oficial y no oficial (ONG), ni de la oposición ni casi prensa en Venezuela. Mientras que otros países y otros Organismos Multilaterales como la ONU, OEA, UE, GAFIC, la Comunidad Andina (CAN), del Plan Nacional de España etc., me dieron muestras de solidaridad, amistad y respeto. La situación fue muy tensa y yo pensé que podrían meterme presa porque además, Jesse Chacón se dedicó a insultarme por prensa y televisión, amén de inventar una sarta de mentiras con su aliado y cuñado nuevo presidente de la CONACUID, Luis Correa, como por ejemplo que había un piso en la sede de la Comisión en donde operaba la DEA, cuando lo que existía era en el piso siete una representación de la PTJ, división de drogas y en el piso seis, una representación de la GN; eso nunca lo dijeron porque no les convenía y que además, había una especie de cuartelito que operaba en el sótano del edificio con funcionarios adscritos al Comando Antidrogas de la Guardia Nacional. Lo bueno de todo esto, es que el tiempo me ha dado la razón. Hoy todo el mundo sabe quiénes son esos repulsivos ciudadanos, dignos representantes de esa farsa llamada revolución del siglo XXI.

-Prácticamente la dan un golpe de estado estando usted en el exterior...

-Yo había participado al vicepresidente Rangel que iba a una reunión al Comando Sur los primeros días del mes de mayo (2005), en donde se iban a planificar unos ejercicios en alta mar sobre incautación de drogas con las armadas de varios países del Caribe y Venezuela. Estando en la reunión recibo un mensaje urgente de la doctora Ediys Millán, secretaria ejecutiva de la comisión, en donde me pone en conocimiento de que la Consultoría Jurídica del mismo organismo, haciendo su revisión diaria de la Gaceta Oficial había encontrado un decreto de la Presidencia de la República en donde se indicaba mi sustitución del cargo como ministro de Estado Presidenta de la CONACUID y en su lugar se designaba a Luis Correa. De inmediato puse en conocimiento al Almirante jefe del Comando Sur, y ellos me agilizaron todos los trámites para mi regreso a Venezuela. Al arribo me encuentro que al parecer alguien le había dado órdenes de no buscarme a mi chofer y a mi escolta, mas sin embargo ellos me fueron a recoger después de varias horas de espera en el aeropuerto y de varias llamadas telefónicas al respecto. Llegué directamente a la Comisión y me reuní con los directores y después con el resto del personal. Edys Millán me comunicó que el nuevo Presidente quería tomar posesión al día siguiente y le indiqué que por tratarse de un cargo de mucha importancia en donde se manejaban bienes del estado y dinero, tenía que hacer un inventario y una relación de todos los gastos durante mi gestión de seis (6) años en la institución. Correa insistió hablar conmigo y pidió ser atendido al día siguiente. Sostuve la reunión con él y a pesar de su insistencia le indiqué que entregaría cuando estuviera lista, es decir cuando tuviera la Memoria y Cuenta tal como establecía la ley y que además había solicitado la intervención de un tribunal, para que se materializara la entrega. Me dijo que el ministro Chacón lo había mandado para que le hiciera la entrega ya, y le recordé que la Comisión legalmente no dependía de ese Ministerio sino de la Presidencia de la República y que yo me había comunicado con la Secretaría de Miraflores y me habían dicho que no había apuro, que me tomara el tiempo que fuera necesario para la entrega, porque ellos sabían que era un Organismo Público y que yo tenía la obligación de hacer una memoria y cuenta, y que esperara órdenes de Miraflores y no del MRI. Yo siempre tuve buenas relaciones con Miraflores y algunos no entendían por qué me habían sacado del cargo, cuando ellos manifestaban que de todos los organismos que dependían de la Presidencia de la República, la CONACUID era la más responsable y estaba totalmente siempre al día, que no tenían ningún problema de orden administrativo con la institución. Le dije a Correa que cuando estuviéramos listas, lo llamábamos y así se hizo. Una vez entregada la Comisión formalmente, tuve conocimiento que la DISIP tenía la intención de allanar mi casa e incluso la intentó allanar; cuando me encontraba en los Estados Unidos, antes de enterarme que me habían "sustituido". En todas las oportunidades que quisieron intentarlo mis vecinos lo impidieron.

-Esos días fueron duros, hubo muchos descalificativos sobre usted y su gestión por parte del Gobierno...

-Efectivamente los días siguientes fueron muy intensos ya que el ministro Chacón se refirió a mi persona de manera insultante con epítetos ofensivos y denigrantes, incluso señaló que me iban abrir un juicio por traición a la patria y corrupción. En una entrevista que me hicieron por Radio Caracas Radio, respondí a sus acusaciones y lo emplacé a que me hiciera la denuncia, porque iba salir muy mal parado pues yo sí tenía prueba de mucha corrupción de los cuerpos policiales bajo su dirección y de la FAN. "Estoy feliz y contenta de que me haya acusado, le dije a Morgado, y el periodista me preguntó ¿por qué? Y le respondí porque tengo las pruebas en su contra. Pero Morgado no ratificó la acusación, desistió de ella. Incluso Chacón dio a entender que yo recibía doble sueldo, una falsedad, pues la realidad era que yo cobraba por el Poder Judicial, porque estaba era en comisión de servicio. Afortunadamente, esto fue desmentido por el propio Miraflores. En una nota de prensa negó la afirmación hecha por Correa y señalaron que la ex presidenta de la CONACUID, jamás había cobrado por allí, e incluso hacía más de dos años que ni siquiera aparecía en nómina.

LA GESTIÓN SABOTEADA DE LA CONACUID

Fueron muchos golpes los que dio la CONACUID y había una buena comunicación entre los grupos que trabajaban, ellos pasaban la información y se contrastaba con lo que decía la DEA y por lo general era casi lo mismo que decían los británicos. Comienza a sentirse el trabajo eficiente de la institución y fundamentalmente al comienzo quienes se sienten más afectados son los generales de la Guardia Nacional, un muy pequeño sector, pero entonces la GN con su Comando Antidrogas hacía lo que le daba la gana. Comienza entonces el saboteo a la CONACUID.

-Cuando la destituyen de CONACUID ya habían dado unos golpes. ¿Cuál era además el plan de trabajo?

-Sí, eso es entre 1999 y 2005. Quiero destacar que en el año 2002, se crearon las fuerzas de tarea o grupos especiales de inteligencia. Yo las organicé de acuerdo a las atribuciones que me daba la ley y podía crear grupos de trabajo y estos se crearon conjuntamente con la fiscalía general de la República. Hablé con el fiscal Isaías Rodríguez para montar los grupos de tareas, uno con los británicos y otros con la DEA, con el fin de que realizaran inteligencia, y que posteriormente se pasara la información a los cuerpos operativos. Se creó entonces un grupo con los británicos que pusieron toda la logística, escogieron gente de la Guardia Nacional y la DEA escogió del CICPC; civiles y militares conformaron los grupos de tarea. Se alquiló un lugar, se acondicionó, parte lo pagaba la DEA y parte los británicos. El CICPC funcionaba muchísimo, toda la logística la montó la DEA y el de los británicos era más modesto pero también estaba bien dotado, por supuesto que estos dos grupos se comunicaban entre sí.

-*¿Quiénes dirigían estos grupos?*

-El grupo compuesto por funcionarios de CICPC estaba apoyado logísticamente por la DEA y era dirigido por el Comisario Juan de Castro, quien es una persona muy honesta, serio y con mucha experiencia en el área de inteligencia en drogas. El otro grupo estaba conformado por oficiales de la Guardia Nacional del Comando Antidrogas, con el apoyo logístico de los británicos y estaba dirigido por el mayor Jesús Grillo. Por cierto el mayor pasó a ser escolta del presidente Chávez. Este mayor, fue retirado a solicitud de los británicos, como jefe del grupo especial, porque a estos no les gustaba su forma de trabajar y porque tenían serias sospechas de que pasaba información a los traficantes. Los dos grupos trabajaban bajo la estricta supervisión del ministerio público, e incluso el fiscal Isaías Rodríguez, dejó a cargo de la vice fiscal Iris Penso su supervisión. Los grupos fueron creados por la CONACUID, pero la supervisión estaba a cargo del Ministerio Público. La Comisión controlaba y supervisaba las finanzas de los grupos. Por cierto Morgado estaba muy interesado en conocer quién y cómo se manejaban las finanzas del grupo de la GN, y me manifestó que eso le correspondía administrarlo su Comando y le respondí que los fondos utilizados para ellos no venían de la GN, ni de la Comandancia General, ni del Ministerio de Defensa, sino de la cooperación internacional.

-*¿Cuáles son esos primeros golpes o resultados?*

-Empezamos a trabajar y dimos muchísimos golpes, el primero fue conjuntamente con la DEA pues capturamos al narcotraficante colombiano Jesús María Corredor, alias "El Boyaco", quien era el intermediario de la FARC y el Gobierno en Venezuela para el intercambio de armas por drogas. En esa época se trabaja en forma coordinada a pesar de múltiples diferencias que existían entre los cuerpos policiales. Pero la ayuda de los enlaces extranjeros fue de gran alivio ya que trabajamos muy unidos y entre los mismos extranjeros se intercambiaban información, que después de manera ordenada me era trasmitida por ser el órgano rector en la materia. Eso le agradaba mucho a los enlaces extranjeros, porque sabían que existía un órgano coordinador de las políticas y las estrategias en la materia lo cual les permitía realizar su trabajo de manera más eficaz y contundente. Los resultados lo veían y eso a ellos les agradaba porque se les facilitaba su trabajo. Además, los enlaces extranjeros celebraron la creación de los grupos especiales porque todos se beneficiaban, ya que si algunos de los grupos detectaba una acción vinculada a un país en cuestión se los trasmitían de inmediato y ellos tomaban los correctivos del caso.

-¿Cómo es eso, intermediario con el Gobierno de Venezuela?

-Era el intermediario de la FARC, es decir, era la persona que trabajaba con Makled y el grupo guerrillero; quien hasta entonces era solo el operador. Para su captura la operación se montó en Caracas en el hotel Tamanaco, un agente encubierto de la DEA estaba sentado con él conversando y en un momento se paró para ir al baño y esa fue la señal para agarrarlo y lo llevaron detenido, en el 2004. El sujeto en el 2006 se fugó, saliendo por la puerta principal de la DISIP. José María Corredor, alias el Boyaco, se encontraba detenido en la sede de la DISIP, acusado de traficar con drogas y mantener negocios con el grupo guerrillero de la FARC y estaba siendo requerido no solo por el gobierno colombiano sino también por el de los Estados Unidos, cuando de repente se "fugó" pero saliendo por la puerta principal de la policía política. Según algunos informantes e incluso funcionarios policiales venezolanos y extranjeros, el Boyaco dio o pagó supuestamente cierta cantidad de dinero al ex director para la época el general del ejército Miguel Rodríguez Torres para que lo dejara ir. El Boyaco huyó a Colombia y después de cierto tiempo fue capturado por las autoridades colombianas que posteriormente lo extraditaron a los Estados Unidos donde está detenido y siendo enjuiciado. Con respecto a los rumores que se suscitaron en relación a la participación del General Rodríguez Torres en la fuga del Boyaco no hubo ningún pronunciamiento político ni judicial.

-Qué más, cuénteme qué empiezan a descubrir, ¿que encuentran en esas primeras investigaciones efectuadas por los grupos especiales?

-Se comienzan a hacer varias investigaciones, empezamos a ver cómo existen diputados involucrados en el tráfico de drogas y de armas. Según los informes de inteligencia Freddy Bernal estaba vinculado al negocio de las armas y el diputado comunista Amílcar Figueroa, se le mencionaba como uno de los negociadores para el intercambio de drogas por armas así, como incluso, que Makled les había comprado unos carros y se los había regalado por su colaboración y apoyo Entonces nos damos cuenta que muchos generales de la Guardia Nacional, estaban involucrados también en tráfico de drogas, legitimación de capitales y en el desvió de sustancias químicas y precursores, así como de trafico gasolina y urea.

-Deme un ejemplo de algún General de quien conoce entonces sus actividades ligadas al narcotráfico...

-El general Alexis Maneiro, por ejemplo, quien trabajaba en el comando regional de oriente, estaba vinculado al tráfico de drogas, pero abiertamente no le importaba nada. Al final el gobierno lo cambia y lo nombra director de la Academia Militar. Supuestamente lo destituyeron y le quitaron la visa americana. Su participación en droga lo detectó la DEA a través de sus investigaciones de inteligencia. Yo te puedo decir que vi muchas grabaciones de generales y coroneles hablando directamente con los traficantes de droga por medio de intervenciones telefónicas montados en Colombia, porque esos traficantes estaban pinchados en Colombia y a través de una estructura que tenía la DEA aquí en Venezuela se podían escuchar y gravar por medio de aparatos muy sofisticados. Todas esas llamadas interceptadas eran autorizadas por el poder judicial de Colombia en colaboración con la DEA de Bogotá. Por eso cada vez que se detiene en Venezuela una persona es porque la DEA, con sede en Colombia pasaba la información y ellos lo apresaban. Hasta el "El Loco Barrera" fue detenido porque la DEA de Colombia pasó la información a los cuerpos policiales venezolanos e inmediatamente lo capturaron aquí.

-¿Quiere decir que el trabajo con la DEA estaba dando buenos resultados?

-Eran grandes logros porque la información que manejábamos era muy sensible, de mucha importancia como por ejemplo cuando se detiene a alguien como Rodrigo Granda que el Gobierno sabía que estaba en el país operando y ha tenido que sacarlo de Venezuela por razones políticas, este tipo de informaciones son de gran relevancia a nivel internacional. Pues bien, las informaciones que se manejaban para esos momentos era de altísima calidad y por eso teníamos que actuar con cautela, porque sabíamos que era muy difícil para el alto gobierno y sobre todo para una persona como Chávez, que pudiera digerir este tipo de informaciones, sobre todo, si estaban involucrados gente de la FAN, de su gobierno y partido. Ahora bien, el gobierno ha estado siempre al ataque y a la defensiva sobre el tema de su vinculación con las FARC, ha intentado negarlo pero qué casualidad, cada vez que pasa algo relacionado con drogas y se quiere ocultar, como el caso del Avión de Air France, que inmediatamente salieron a la luz pública unas avionetas destruidas por supuestamente estar utilizando nuestro espacio aéreo para transportar drogas, es decir el gobierno detiene a alguien importante en el tráfico de drogas o realiza alguna acción defensiva y señalan que "nunca hemos estado vinculados al tráfico de drogas" y aquí están todos los traficantes; el más buscado recientemente era el "El Loco Barrera" y estaba en Venezuela y ubicable, en Valencia, porque esa es una zona bien comprometida con el narcotráfico, el estado Carabobo, desde la época de Acosta Carles, y estaba Clíver Alcalá Cordones quien es otro de los generales que ha sido vinculado con el narcotráfico. Estando Clíver Alcalá en Maracaibo se decía que era uno de los que permitía el paso de la droga a Venezuela por supuesto pagándole tributo a él y a su hermano también. Por cierto que uno de estos días vimos una foto de Iván Márquez en una moto allá en Maracaibo, en la época en que este General estaba designado en el Zulia; mas sin embargo nunca al gobierno y sus generales se les ocurrió detener a alguien importante vinculado a la FARC y por ende al tráfico de drogas, salvo que ocurriera algo que los pusiera en evidencia, y es allí cuando comienzan actuar de manera desesperada y se detienen traficantes, grandes alijo de drogas y se derriban aviones que normalmente cruzan y se desplazan por nuestro territorio y espacio aéreo traficando con drogas, pero como una forma de evadir su responsabilidad y lavar su imagen internacionalmente

-En medio de la impunidad ustedes seguían trabajando...

-Por supuesto. Fueron muchos golpes los que dimos, había una buena comunicación entre los grupos que trabajaban, ellos pasaban la información y se contrastaba con lo que decía la DEA y por lo general era casi lo mismo que decían los británicos. Se hacía un buen trabajo, nos tenían miedo empezamos a hacernos sentir. Quien estaba detrás de esto era yo porque hice la resolución como Ministro de Estado en la cual se habilitaban esos dos grupos para funcionar, eso no existía. La Guardia Nacional estaba molesta porque ellos como comando antidrogas hacían lo que les daba la gana, así que la creación de estos grupos en cierta forma venían a limitarle su capacidad de acción y de supremacía en el ámbito de las drogas, pero sobre todo, constituía una injerencia en sus dominios del negocio de las drogas para aquellos oficiales que habían hecho del mismo parte de su modus vivendi.

-De alguna manera el trabajo que ustedes estaban haciendo desde la CONACUID pone a la GN en guardia...

-Y más porque se crearon estos grupos de inteligencia. No se asignó a la DEA con la GN porque entre ellos había muchos roces, por eso preferí asignárselos a los británicos, y a la DEA con el CICPC, porque siempre se habían llevado muy bien, a pesar de haber tenido algunos problemas, que afortunadamente se habían superados. La antigua PTJ y la DEA, habían realizados muchísimos trabajos juntos, se peleaban y se reconciliaban, porque son civiles y se entienden mejor. En cambio la GN y el CICPC nunca han podido trabajar, las veces que lo han hecho ha sido difícil. La GN se cree superior a los civiles y por eso no puede trabajar con ninguno de ellos, así también pasaba con la DEA.

-¿Cuál era la posición del general Miguel Ramírez sobre la creación de estos grupos especiales de inteligencia?

-El general Ramírez es una persona muy hosca, un poco déspota, mal encarado y siempre se opuso a la creación de los grupos especiales de inteligencia en drogas. Intentó hablar con el fiscal Isaías Rodríguez para disuadirlo a que no diera el apoyo a los grupos. Estaba reacio a su creación y muy molesto. El día que tenía la audiencia el Fiscal General no lo pudo recibir y le indicó a la vice fiscal la doctora Iris Penso que le dijera que ya había hablado con la doctora Camero sobre el asunto que él le quería plantear y que consideraba que no había ningún problema. Esto me lo comunicó la propia vicefiscal que estaba en conocimiento de la realización de los grupos especiales. Cuando los grupos comenzaron a funcionar con la supervisión del Ministerio Público dando excelente resultados, se quedó tranquilo. El problema es que era muy apegado a la ley y se cuidaba demasiado de todo. Cuando concluyó su gestión, creo que esa animadversión que tenia por los grupos se la transmitió al general Frank Morgado quien desde el inicio comenzó a molestar por el funcionamiento de los mismos y que terminó con la disolución de los grupos, la salida de Venezuela de la DEA y mi sustitución en el cargo. Morgado alegaba que estos grupos lo que hacían era traficar con drogas, bajo la figura de las entregas vigiladas o controladas, exactamente lo que hacia él, cuando estaba en el comando bajo las órdenes del general Guillen y que le creó tanto problemas al propio General por los malos asesoramientos de algunos de sus oficiales, entre ellos el propio Morgado.

-¿Por qué esencialmente se oponían al funcionamiento de los grupos especiales de inteligencia?

-Porque a través de ellos se comenzaron a detectar no solo los grupos civiles sino también de militares que apoyaban el negocio de las drogas. Se empezaron a oír nombres de civiles con poder político, de generales y oficiales activos y en retiro y de policías civiles en las mismas circunstancias. Muchos de estos Generales habían ocupados cargos importantes como por ejemplo Jefe del Comando

Antidrogas de la GNB, de oficiales destacados en algunos Comando en las fronteras, en el aeropuertos y puertos del país. Los nombres del General Ramírez, Morgado, Maneiro, Moscoso (retirado) comenzaron a sonar constantemente y de muchos más. Un sargento de la GN, se me presentó en el Despacho y me pidió que lo ayudara a salir del aeropuerto internacional, porque él sabía que iba explotar algún día un zaperoco y que iban a caer los gafos. Y me contó que cuando los aviones venían de los países andinos desconectaban las cámaras de seguridad para no dejar rastro del pase de drogas, de igual manera señaló que desconectaban los arcos para que no se pudiera detectar ningún tipo de drogas, y que daban el día libre a las personas no afectas a ellos para poder realizar sus fechorías. Asimismo, relató que el día viernes en la noche o a más tardar el sábado en la mañana, llegaba un mayor de Caracas, a recoger el dinero (entre 10 mil a 12 mil dólares) obtenidos durante la semana, presuntamente para dárselo al General y no era precisamente el dinero decomisado a los traficantes, sino el obtenido para facilitar la salida de la droga hacia otros países. De igual manera me llegaban muchas cartas de Maiquetía del aeropuerto "Simón Bolívar", en donde me pedían que lo interviniera. A veces cuando iba de viaje se me acercaban guardias y me entregaban papelitos haciendo denuncias graves de sus superiores. No sabría decir a ciencia cierta a quién en realidad era entregado el dinero que supuestamente pagaban los traficantes para dejar pasar la droga. Cuando nombraron al general José Antonio Páez Cabrera como Jefe del Comando Antidrogas de la Guardia Nacional, se le hizo saber de las informaciones relativas al dinero recogido para supuestamente entregárselo a un general, no sabemos a quién. De inmediato tomó cartas en el asunto y comenzó a funcionar todo de manera legal y con profesionalismo.

-¿Quién es el general Jesús Rodríguez Figuera y cuál es su participación en la CONACUID ?

-A Rodríguez Figuera lo conocí cuando yo me desempeñaba como juez estaba investigando el caso del Cartel de Cali, él era el segundo a bordo de un comando de la GN, ubicado en Santa Elena de Uairén, en donde gente del Cartel tenía muchas propiedades e incluso varias avionetas que utilizaban para transportar drogas desde Colombia. Nos hicimos amigos porque lo vi como un muchacho serio, muy colaborador. Rodríguez comenzó a frecuentarme, me visitaba al tribunal, me presentó a su esposa y me contó que tenía un hermano que era policía y que la PTJ lo había acusado de robo de vehículo y lo andaban buscando para llevárselo preso y me pidió el favor que lo ayudara, le dije que iba averiguar pero que no le prometía nada. Y así fue, averigüe y resulta que el hermano era un delincuente con un amplio prontuario policial y se lo hice saber y le aconseje que era mejor que se entregara porque tenía una boleta de captura y que en cualquier momento la policía iba dar con él e iba a ser peor. Es preferible que se ponga a derecho y se defienda. Pasó el tiempo y Rodríguez me llamaba algunas veces al tribunal o me visitaba si estaba en Caracas. Tenía muchos tiempo sin verlo ni saber de él, hasta que un día se me presenta a la CONACUID y me dice que lo habían ascendido a coronel, pero que lo querían mandar nuevamente al monte y que él no se quería ir, que porque no le pedía al Comandante General que lo enviara para la comisión y él me podía ayudar con el trabajo de investigación. Me pareció bien porque me parecía un muchacho bueno y me había ayudado mucho en el caso de Cali. Y fue entonces cuando le envié una comunicación al general Gerardo Briceño, que para el momento era el Comandante General de la GN, solicitándole que lo enviara en comisión de servicio. Y es entonces cuando lo mandan y comienza trabajar, pero empezó a tener problemas con los guardias asignados a la Comisión, quería mandar a los funcionarios que estaba en el Centro de Inteligencia Nacional de Drogas (Cinadro) que se creó y estaba dirigido por la Guardia Nacional y que funcionaba en el piso 7 del edificio. Eran varios sargentos, tenientes, capitanes de la GN que trabajaban conmigo allí. Él llega como coronel y quería pisar a todos los que estaban destacados allí, pretendía que le rindieran información de todo lo que hacían, les pidió las llaves de las oficinas y quería controlar todo, no solo las informaciones relativas al trabajo que ellos realizaban sino que quería que le explicaran qué hacían y cómo manejar los aparatos y la información. Como él era coronel y los demás eran tenientes y capitanes, quería someterlos y que le rindieran información solo a él y no a sus jefes naturales designados desde hacía ya algún tiempo y empiezo a tener problemas con él. Un día va la DEA a una reunión en mi despacho cuando uno de los agentes me dice ¿usted está segura que su despacho está limpio? Y yo le digo ¿por qué? Porque tengo la impresión que no está, y saco de su bolsillo un aparato y el mismo empezó a vibrar. Y me dijo no doctora, la tienen intervenida, y le dije que cada cierto tiempo me hacían la limpieza en la oficina, me hacían un rastreo para ver si tenía grabadores, o si tenía la línea telefónica intervenida ¿pero usted está seguro que la oficina no está limpia?, insistí. Y me dijo no sé, vamos a revisar los teléfonos pueden estar intervenidos, podemos venir mañana en la mañana si usted quiere a revisarlos. Entonces yo le voy a decir a la Gente del Cinadro, que eran funcionarios de la GN y a la PTJ destacados en la comisión, que los ayuden a revisar todas las instalaciones. Es bueno señalar que ni la Guardia ni la PTJ, asignados en la CONACUID, tenían aparatos para detectar ese tipo de irregularidades Como quienes controlaban la entrada al edificio era la Guardia Nacional y sabí que no era fácil que estos le permitieran la entrada a funcionarios de la DEA a las oficina yo entré con ellos y detectamos que mi oficina tenía todos los teléfonos intervenidos y micrófonos en todas partes. Hay que investigar que está sucediendo y le digo al oficial y policías de inteligencia de mayor rango y confianza que trabajaban conmigo que no podíamos poner en conocimiento al resto de los funcionarios de la GN ni del CICPC porque no sabemos cuál de los dos cuerpos está involucrado. Me dice la DEA, nosotros puede venir a rastrear, para verificar si están conectados los muchachos de Cinadro y así como los muchachos del CICPC, y las personas designadas una vez que se hizo el rastreo empezaron a investigar. Posteriormente me dicen los funcionarios que ellos creían que era el coronel nuevo que vino, quien nos está interviniendo. Empezamos a investigar y le digo al chofer mío, Andrés tú tienes que quedarte aquí este fin de semana porque yo quiero que me investigues algo. Entonces Andrés se empieza a quedar, me dice doctora yo estoy observando un movimiento raro, el coronel Rodríguez Figuera vino con un poco de gente rara. Comenzamos a investigarlo y nos damos cuenta que es él. Entonces me dice, los funcionarios definitivamente es Rodríguez Figuera, yo dije bueno voy a hablar con el general Francisco Belisario Landis (quien era el nuevo Comandante General de la GN) y le dije al general Landis quiero hablar contigo, y me invitó a desayunar en la Comandancia General y le dije okey desayunamos mañana. Entonces voy a hablar con él y le digo tengo un problema el muchacho que les pedí y que ustedes me mandaron, me ha estado grabando no solo a mí, sino a todos los funcionarios de la comisión, hemos descubierto micrófonos en todas las oficinas y me dice Belisario no puede ser, y le respondí quiero sacarlo ya. Cuando regrese no quiero tenerlo en la Comisión.

-¿Tienes pruebas?

-Sí, tengo todas las pruebas. La DEA me había juntado todas las pruebas con los funcionarios, en una la investigación de casi un mes y pico, hasta los mismos guardias nacionales ya lo estaban diciendo, que el nuevo Coronel andaba en algo raro. Es que en la GN había mucha gente buena que no está metida en esos rollos, los que están metidos en negocio turbios son algunos oficiales y algunos generales, porque a los sargenticos le dan cien dólares para que pasen una panela de cocaína y muchos dicen que no, porque les da miedo; por supuesto que hay quienes sí se anotan en la pomada como dicen los malandros finalmente saque a Rodríguez de la Comisión, y después los propios guardias me dieron una serie de informaciones en contra de él, ya que al parecer los chantajeaba los humillaba y muchos de ellos fueron puestos a la orden del Comando porque no querían pasarle información. Así, pudimos levantar el expediente en su contra.

-¿Qué hace específicamente?

-Yo lo pongo a la orden del comando y no pasó ni un mes cuando lo mandan como jefe de la policía del estado Lara, y es cuando empiezan a desaparecer personas y los delincuentes encontrados muertos. Ese es el tipo que cuando gana Henry Falcón las elecciones a gobernador, lo sacan, porque él creó el llamado grupo de exterminio. A él lo ascienden después a General de Brigada. Este caballero estaba vinculado al tráfico de drogas desde hace mucho tiempo por eso lo buscan para que yo lo pidiera en comisión de servicio y poder enterarse de todos mis movimientos. Me pareció muy extraño que Belisario me dijera ¿y cómo te enteraste tú? Cuando él sabía que yo siempre como juez, tenía conocimiento de cómo se batía el cobre en drogas. Pero claro durante muchos años se ha dicho que Belisario era el jefe del cartel de "Los Soles", que estaba vinculado con el tráfico de drogas, aunque nunca ha habido pruebas de ello. Cuando el general Guillén era jefe del comando antidroga, se hablaba mucho de un grupo Fénix que operaba en la GN y era conformado por generales y coronales. Estaba Belisario Landis, como miembro de ese grupo, por lo menos eso se decía, después lo nombran general, comienza el rumor de que se había creado el llamado cartel de "Los Soles" con él, al frente y había la pelea de este cartel con el grupo Fénix que era de los coroneles, tenientes coroneles y capitanes etc., fue lo que se comentó por un largo tiempo. El general Frank Morgado había formado parte del grupo Fénix, y desde esa época es que comienza su pelea con la DEA, ya que él estuvo involucrado en los operativos de las supuestas entrega vigiladas que realizaba Guillen con la CIA. En ese momento, la CIA le monta una estructura fabulosa de investigación al Comando Antidrogas y el General Guillen en lugar de trabajar con la DEA empieza a trabajar con la CIA. Por supuesto estos dos organismos siempre han tenido mucha pugna, igual que el FBI y la DEA, el FBI es delincuencia organizada y delitos comunes; pero todo el tema de las drogas es competencia de la DEA y la CIA, siempre ha cumplido otras funciones, básicamente en contra de la subversión y terrorismo.

-¿Usted tiene pruebas de que la Guardia Nacional está o estaba involucrada en el tráfico de drogas?

-Claro que sí, porque siempre me mantuve en contacto con esta institución y he trabajado mucho con Generales, Coroneles, Tenientes Coroneles, Mayores, Capitanes, Tenientes, Sargentos. Guardias y soy amiga personal de muchos de ellos. Pero siempre me llegaba el rumor de quien o quienes estaban involucrados en drogas o en hechos de corrupción. Cuando estuve en la CONACUID, la situación era diferente porque muchos funcionarios me mandaban anónimos o se me acercaban y me manifestaban su preocupación por lo que estaba sucediendo en el Comando Antidrogas, o en el aeropuerto Simón Bolívar, o en los puertos del país, e incluso en muchos comandos. Pero mi conocimiento mayor fue cuando vi una serie de documentos que me presentó la DEA, en donde pude constatar la participación de varios generales activos en actividades con drogas, o cobrando dinero, cuadrando negocios vía telefónica, comiendo con conocidos traficantes. Por ejemplo vi muchos documentos que comprometían al general Frank Morgado, a Maneiro principalmente. Ejemplos sobran de muchísimos oficiales involucrados en el tráfico. Un ejemplo actual es el avión de Air France en donde al parecer grupo de militares, presuntamente de la GN, utilizando los caminos verdes cargaron 31 maletas contentivas de 1.365 kilogramos de cocaína la introdujeron en el avión galés, este aterrizó en el aeropuerto Charles De Gaulle, en donde las autoridades aeroportuarias francesas controlaron la salida de la droga y cuando iba en un camión vía Luxemburgo lo detuvieron y decomisaron 900 Kg de cocaína y los 400 kg restantes en un galpón de víveres en el mercado principal de la ciudad de París. Solo después de nueve (9) días fue que las autoridades francesas notificaron al Comando Antidrogas de la GN del hallazgo. El motivo, las personas involucradas en el hecho eran militares y por supuesto si se les participaba a las autoridades del hallazgo, la operación se abortaba. Por tales razones las autoridades francesas dejaron pasar varios días para notificar al país. Por supuesto que las personas que somos conocedoras de los procedimientos policiales en materia de drogas, de inmediato nos percatamos que se trataba de una entrega controlada. Es decir las autoridades francesas infiltraron personas en el operativo, sin que los traficantes venezolanos se percataran, ayudaron a sacar la droga, y cuando esta arribó a Francia, continuaron con su procedimiento hasta lograr decomisar la droga, detener a los traficantes y desmantelar parte de la organización. Para los venezolanos esta operación fue un tráfico vulgar y corriente pero para las autoridades francesas una entrega controlada. Fíjense que no hubo ninguna persona de la tripulación detenida. Por el contrario la línea aérea se declaro como víctima. Quienes resultaron detenidos un mayor, que por cierto se ha sindicado de ser familia de Hugo Carvajal, el hasta hace poco director del DIM, además de otros oficiales y civiles. El rumor dentro la fuerza es tan grande que hasta han señalado al propio Comandante General de ese contingente, así como algunos generales Jefe de los Destacamento 5 y 53, e igualmente al propio Jefe del Comando Antidrogas, mas sin embargo es solo un rumor porque ninguna de estas personas se han pronunciado al respecto y no se les abierto ninguna averiguación, ni mucho menos habido ninguna insinuación de que sean o hayan sido citados a declarar en el juicio que solicitó el Ministerio Público. Pienso que este caso es el más emblemático y demostrativo de la corrupción por drogas dentro de nuestras FAN.

CRÍMENES EN LA GOAJIRA

Si en algún escenario geográfico los crímenes del narcotráfico dejan una marca cruel en Venezuela es el de la Goajira con el protagonismo de los hermanos González Polanco y la guerra que se declaró entre ellos y los narco generales. Hermágoras, conocido como el jefe del cartel de la Goajira, está actualmente detenido y silenciado al igual que Walid Makled pues sabe demasiado sobre la actuación delictiva de los militares venezolanos que se han enriquecido impunemente amparados por el silencio cómplice y oficial. Euro, el hermano de Hermágoras cayó en la matanza interna de narcotraficantes venezolanos.

-Usted me comentó sobre algo en particular en la Goajira, ¿puede darme los detalles?

-Sí, me gustaría contar algo que siempre me ha preocupado, y es en relación a la muerte de Eudo González Polanco, hermano de Hermágoras quien supuestamente es señalado como el líder o jefe del Cartel de la Goajira. Al parecer Eudo tuvo muchos problemas con la Guardia Nacional, la DISIP y con la antigua PTJ, pero sobre todo con la GN. Eudo conoció al general Acosta Carles, al parecer cuando este estuvo de servicio en la frontera colombo-venezolana. Parte de los problemas eran, que a los hermanos González Polanco se les perdía mucha droga, es decir, eran constantemente objetos de "tumbes". Pero muchos de estos tumbes provenían de la gente de Makled y tanto Eudo como Hermágoras, estaban molestos y ello decían que la pérdida de la droga era por culpa de la GN, porque a pesar de que ellos le pagaban, se hacían los locos por los abusos del turco y alguna otra organización de traficantes. Eudo se había instalado hacía algún tiempo en el Estado Carabobo, tenía una hacienda cerca de Valencia en Tocuyito, así que conocía perfectamente quien era Makled y su relación con la GN y con el Gobernador Acosta Carles. Los enfrentamientos entre ambos traficantes se fueron agravando con el tiempo y en un allanamiento realizado por funcionarios de la DISIP, a cargo del Comisario David Colmenares y una Brigada de Acciones Especiales de la Policial Judicial, resultó muerto Eudo en febrero del 2004 y a quien por cierto se le encontró credenciales otorgadas por el general Alexis Maneiro Gómez, quien fuera jefe del Servicio de Inteligencia y del Comando Regional 7, teniendo jurisdicción sobre los estados Anzoátegui, Monagas y Sucre. Por este caso el general Maneiro fue destituido de su cargo. Informes de inteligencia extranjeros señalan que la muerte de Eudo González Polanco se debió a una serie de intrigas y represalia en contra de los hermanos y que tanto Makled como altos oficiales de la GN, tuvieron mucho que ver en su muerte. Un funcionario policial conversando conmigo sobre este caso me indicó que unos de los móviles de la muerte de Eudo, fue la venganza personal, y que se trataba de la pérdida y sustracción de un cargamento de drogas en donde salieron perjudicado unos altos oficiales de nuestra fuerzas armadas. Una de las razones por la cual me interesé en el caso, es porque supuestamente la operación fue dirigida por el comisario David Colmenares, a quien conozco desde hace varios años, y trabaje muchísimos casos de drogas con él. David fue formado por la DEA, y creo que es unos de los mejores policías capacitado en investigación en drogas, conoce muy bien cómo realizar y ejecutar una entrega vigilada y por supuesto como llevar una investigación. Tuve noticias de que se había ido a la DISIP, así como también de muchas de sus acciones completamente politizadas y totalmente fuera de la ley. La muerte de Eudo fue brutal y violenta así como todos los que resultaron muertos, en ese allanamiento. A David el cual aprecié mucho, le perdí la confianza, cuando en una oportunidad me pidió una autorización para realizar una entrega vigilada en Caracas y resultó que la misma fue realizada en Valencia, Estado Carabobo.

-¿Cómo se produce la muerte de Eudo el hermano de Hermágoras y bajo qué circunstancias, quiénes lo planifican?

-Como lo indiqué anteriormente Eudo resultó muerto en un enfrentamiento como consecuencia de un allanamiento que le realizó un grupo comando en su finca en Tocuyito. Y según las autoridades venezolanas, fue durante ese allanamiento que se encontró cierta cantidad de drogas que dieron lugar a su detención. Sin embargo fuentes policiales me señalaron que la droga le fue "sembrada" a González por órdenes del general Clíver Alcalá Cordones. Tanto Eudo como su hermano Hermágoras tenían una pelea casada con la GN, con Makled, con el general Acosta Carles y al parecer con Clíver Alcalá, desde hacía mucho tiempo cuando esté estuvo destacado en la frontera colombo-venezolana. El motivo era lo de siempre, pérdida de drogas, de rutas, pago por protección, pago por recuperación de las drogas "extraviadas o sustraídas", peleas con la GN, con el Ejército y con los grupos civiles principalmente con el de Makled.

-¿Qué pasó con Hermágoras González Polanco? Se sabe que está preso pero ¿cuál es su situación legal actual?

-Después de la muerte de su hermano, "el gordito" como suele llamársele, se perdió, se decía que se había ido a

Colombia, sin embargo otros señalaban que se encontraba en la Goajira. Lo que supimos todos los que hemos venido trabajando en drogas en este país, es que antes de "perderse", lanzó un decreto de guerra a muerte tanto al grupo comando que mató a su hermano como al general Clíver Alcalá. Pero fue detenido en Colombia y desde el año 2008 se encuentra en la sede de la DISIP, hoy SEBIN, en espera de que se le realice la audiencia preliminar. Sus familiares hace pocos meses protestaron ante el Tribunal Supremo de Justicia, pidiendo justicia. Hermágoras es un goajiro de armas tomar, se dice que tiene muchas muertes encima, ha trabajado con grandes grupos de traficantes, inclusive con la FARC: es lo que se llama un pájaro de siete suelas. Conoce muy bien ese mundo de la droga y es reconocido como el gran Jefe del cartel de la Goajira. Sus peleas con traficantes son ampliamente conocidas por la violencia que generaba; lo acusan de haberles dado muerte a varios guardias nacionales de una manera dantesca. Al parecer este y otros episodios de igual categoría desataron una guerra sin cuartel entre grupo civiles y militares, que culminó con la muerte de su hermano también en una forma poco profesional. Este traficante de drogas, conoce mucho de las andanzas de las autoridades venezolanas y de sus incursiones en el negocio de las drogas. Es por eso, creo yo que su caso se ha manejado con discreción y mucha prudencia. Sería interesante si algún día se decidiera hablar.

-¿Qué otros escándalos importante puede relatarnos sobre estas operaciones?

-En el año 2004 ocurrieron muchos hechos importantes, por ejemplo hubo un caso con la participación de un grupo de oficiales de la GN, que estaban por sacar por el aeropuerto internacional de Maiquetía un cargamento de drogas. La DEA me lo participa y de inmediato se notificó al CICPC, para que realizara la operación. Efectivamente se realiza el procedimiento se decomisa la droga (45 panelas de cocaína) y se detienen a los tenientes Wilmer Mora, Javier Arraya y Wilmer Alexander González. Cuando se dan estos procedimientos con decomiso de drogas y detenciones el gobierno americano verifica si tienen visa americana y de inmediato proceden a anulárselas, esto sucedió en este caso como en muchos otros. Llamo a colación este caso porque están personas estuvieron detenidas pero de inmediato tengo entendido, se les dio la libertad y el gobierno protestó porque se les había quitado la visa y le solicitaron al gobierno de los Estados Unidos, su devolución inmediata. Estos oficiales estuvieron detenidos en la DISIP por muy poco tiempo y de ellos no se supo más. Pero ellos alegaron que la detención se debió a malos entendidos con el CICPC, que todo fue una farsa y que en este cuerpo policial estaban molestos porque ellos no podían entrar a la zona de tránsito que era competencia exclusiva de la GN y porque los grandes decomisos los estaba haciendo la Guardia y no el CICPC. Las informaciones sobre este caso las tuve directamente de la DEA, con fundamentos en informes de inteligencia muy bien sustentados.

- Es decir que tanto la GN y como la PTJ (actual CICPC), ¿tenían problemas con respecto a la investigación de casos en el aeropuerto internacional Simón Bolívar?

-Sí, la pelea era fuerte no solo con respecto al conocimiento de los casos, sino que cada uno de estos organismos se acusaban de facilitar el tráfico de drogas en el aeropuerto y recibir por ello grandes cantidades de dinero. Pero en honor a la verdad, quienes tenían y tienen mayor presencia en el aeropuerto es la GN. El CICPC tenía un pequeño cubículo y digo tenía porque lo eliminaron y porque además tenían limitaciones para movilizare o desplazarse dentro del aeropuerto ya que solo tenía autorización para ingresar a determinadas zonas. Y esto se debe que es la GN, la que tiene la competencia de resguardo de puerto y aeropuertos del país. Muchos de los procedimientos que iniciaba el CICPC eran abortados por la GN, y las razones de ellas eran más económicas que de competencia. Supuestamente la GN matraqueaba a los viajeros por cualquier cosa, pero lo fuerte era dejar pasar la droga y soltar a los traficantes que se "bajaban de la mula". A veces las personas que eran detenidas por la policía, la GN no les permitía concluir el procedimiento alegando que la persona fue detenida en zona de exclusiva competencia y como para esa época tenían competencia en drogas, se llevaban al o los detenidos a su comando y al poco tiempo eran puestos en libertad. Muchas fueron las quejas de esta índole de parte del CICPC, sobretodo durante la gestión de Morgado. Como siempre señalo que la mejor época de trabajo fue con el general José Antonio Páez Cabrera. Un oficial me dijo, a raíz del nombramiento de Morgado como jefe del Comando Antidrogas de la GN, doctora usted va a tener muchos problemas con mi general Morgado, usted verá. Y efectivamente no se equivocó, su nombramiento ha sido lo más nefasto que ha ocurrido en toda la historia de la lucha contra las drogas, en Venezuela.

LA RUPTURA

No pasó mucho tiempo desde que la jueza Mildred Camero asumiera la presidencia de la CONACUID para que tras el trabajo que venía desarrollando se percatara que algo no funcionaba bien, especialmente con la actitud del general Frank Morgado, con quien mantenía una relación de trabajo cercana pues este dirigía el Comando Nacional Antidroga de la Guardia Nacional.

¿Cuándo comienza la ruptura con el presidente Chávez?

-Cuando el golpe el 11 de abril de 2002. Pero mientras tanto los primeros años él siempre me preguntaba cómo van las investigaciones en droga doctora, cuando coincidíamos o estábamos juntos en un evento me preguntaba cómo estaba el problema de las drogas en el país; en una oportunidad viajamos a los Estados Unidos y allí nos reunimos con representantes de la DEA y con otras personalidades ligadas al congreso, a la política y al Gobierno de turno (Bill Clinton) de los E.U, hicimos un trabajo fuerte y con buenos resultados y me sentía que estaba apoyada por él. El presidente Chávez, no realizaba reuniones con personalidades de los Estados Unidos, sin que me llamara por teléfono o me mandara a llamar con su secretario, para que yo estuviera presente, y de igual manera si se trataba de otro país. Cuando viajaba y a última hora se incluía el tema drogas, me solicitaba un informe o una ayuda memoria. Fueron muchas veces que tuve que desplazarme hacia la rampa 4, a llevarle informes, otras veces era la Dirección de Política Internacional de la Cancillería que me llamaban urgente para que fuera preparando un informes sobre drogas que requería el Presidente para un viaje, esto comenzó a ocurrir después del dichoso golpe. Pero comencé a preocuparme cuando el Presidente se radicalizó no solo en lo interno sino que también en relación con algunos países, principalmente con los Estados Unidos y empiezo a recibir comunicaciones en donde se limitaba un poco mi toma de decisiones y se fue perdiendo la comunicación con el Presidente. Posteriormente, se designa a José Vicente Rangel, como Vicepresidente y comienzo a rendirle cuenta a él, y a recibir órdenes de éste, los informes debían ser enviados a la Vicepresidencia en fin se perdió la comunicación con Chávez de manera total y así fue hasta que salí de la CONACUID. Luego comienzo a notar que muchos de los informes eran recibidos en Miraflores pero que no había respuesta de muchos de ellos, y pienso que esos informes, no quiero defender a Chávez, no tengo porque defenderlo, pero creo que no llegaron a sus manos. Anteriormente, sabía que él los recibía, porque las pocas veces que coincidíamos personalmente él me hacia una que otra pregunta. Pero después del 11 de abril para que un documento le llegara a Chávez pasaba por muchas personas casi todos militares tanto de la GN como de los demás componentes de nuestras FAN que estaban designados en Miraflores y por supuesto ellos no iban a permitir que esos informes llegaran al Presidente.

-Parece obvio, se revelaba todo en esos informes ¿cierto?

-Claro, pero José Vicente Rangel sí los conocía porque yo se los entregaba personalmente al él, pues le rendía cuenta. Al principio le rendía directamente al Presidente pero después que se nombra al Vicepresidente se delegaron esas funciones en él y todos los Ministros le rendíamos cuenta a Rangel.

-¿Y allí comenzó JVR a organizar su salida?

-Sí, comenzó el enfrentamiento a la CONACUID, pero después obtuve copia del Informe que Rangel presentó al presidente Chávez, porque la DEA se lo compró a un funcionario del Comando Antidrogas que no estaba de acuerdo con las actividades que realizaba Morgado. Y copia de ese Informe nefasto es la prueba fehaciente de la conjura en mi contra, ideada por una serie de seres muy mediocres que tuvieron que recurrir a la mentira, a la falsedad, para poder continuar con sus planes, de utilizar nuestro país como plataforma para el tráfico de drogas y en consecuencia enriquecerse de manera ilícita.

-¿Es ese el informe, que usted dice que Correa quemó?

-No, él lo que quemó fue todo los Informes que dejamos en los archivos de la CONACUID, es decir, desapareció la memoria histórica del organismo, y no sé con qué fines. Los informes "comprometedores", "reales" nunca estuvieron en esos archivos, siempre estuvieron muy bien resguardados, porque en honor a la verdad, siempre tuve mis recelos, y sobre todo después que me enteré de que me tenían intervenido los teléfonos de la Comisión. En realidad había mucha gente trabajando allí que no les tenía confianza. Siempre he sido muy desconfiada y esto viene desde que era juez, que por cierto me acostumbré a no hablar por teléfono, porque eso ha sido la perdición de muchos funcionarios públicos. Por otra parte la GN, era quien custodiaba las instalaciones de la Comisión; incluso en el sótano existe o existía una especie de cuartel para ellos, donde dormían comían y pasaban el tiempo hasta que eran relevado por otros. De manera que existían muchísima razones.

-Cuando la sustituyen ¿dónde se encontraban esos Informes?

-Por medida de seguridad siempre estuvieron en una caja de seguridad, pero después de las falsas acusaciones en mi contra, con el fin de protegerlas no se encuentran en el país. Los originales deberían de estar en Miraflores o en la Vicepresidencia de la República, yo hablo de las copias debidamente selladas (sellos húmedos y sellos secos). Cuando se entrega una correspondencia oficial, siempre se exige que se le ponga el sello de recibido con la fecha y a veces hasta con el nombre del funcionario que lo recibió, esto con el fin de tener pruebas de que el documento fue entregado y recibido. Copias de esas copias, son las que están fuera del país, como unas pruebas de que siempre se mantuvo informado sobre lo que sucedía en materia de drogas al alto Gobierno. Esas copias siempre estuvieron en la caja de seguridad de la Comisión, pero después de las falsas acusaciones en mi contra, las copias de las copias, fueron trasladadas a un sitio más seguro, incluso, se dejaron las copias en esa caja de seguridad donde me imagino aún deben reposar, si Correa no las quemó.

-¿Algún organismo policial ha intentado recuperar esas copias o algún otro documento de interés para el Gobierno Nacional?

-Mientras me encontraba en la reunión en el Comando Sur, y cuando se publicó en Gaceta Oficial mi sustitución, tengo entendido que la DISIP intentó allanar mi casa; pero afortunadamente mis vecinos se opusieron a ello. Pero el intento hubiera sido fallido, porque no acostumbro a llevar documentos a mi casa. Yo sabía que después que saliera de la Comisión, el Gobierno iba a comenzar a desprestigiarme y por eso hice un inventario no solo de los bienes que había en la CONACUID, sino de todo, completamente todo. Cuando Correa insistió en que le entregara inmediatamente me negué y apelando a mi experiencia de juez, le señalé que hasta que no hiciera mi Memoria y Cuenta, el organismo no iba ser entregado y afortunadamente tuve el apoyo de Miraflores para ello. Algo que me satisfizo mucho fue que durante los días que realizaba la Memoria Y Cuenta, llegaron dos Informes: Uno de la Contraloría General de la República y otro de la Contraloría Interna de Miraflores, en donde se dejaba claro que el presupuesto asignado a la CONACUID no había sido objeto de ningún tipo de desviación y que todo estaba en orden.

-*¿Es cierto que usted fue acusada de cobrar doblemente como juez y como Presidente de la CONACUID ?*

-Es cierto, fue un rumor que corrió Luis Correa y lo repitió el señor Jesse Chacón, pero afortunadamente fue desmentido por el Palacio de Miraflores. Ni Chacón ni Correa al parecer sabían que era una comisión de servicio. Eso fue lo primero que le pedí a Chávez cuando me llamó a mi casa a ofrecerme el cargo. Afortunadamente don Luis Miquilena es testigo de ello. Yo nunca cobré por la CONACUID, por una sencilla razón ganaba más como juez, y tenía más beneficios que como Presidenta de la CONACUID. Al principio aparecía en nómina de la comisión y el administrador devolvía rigurosamente el dinero, hasta que después comenzó a aparecer el cargo del Presidenta en nómina, pero sin asignación de sueldo y posteriormente ya ni siquiera aparecía el cargo de Presidenta; así fue por el resto del tiempo que estuve en el cargo. De manera que la aclaratoria de Miraflores fue oportuna, porque si no podría prestarse para malos entendidos e incluso dar la sensación de que sus administradores eran unos ineptos e incapaces e inclusive que se prestaban para "chanchullos". Hacía tiempo que le había dicho a José Vicente Rangel que me quería ir y tenía en mente hacerlo a final de año, además que ya no me sentía a gusto por todo lo que estaba pasando con el gobierno, y económicamente había perdido algunos beneficios como por ejemplo mis vacaciones y el pago de las mismas, así como los ascensos etc.

-*Su salida de la CONACUID de manera intempestiva ¿produjo alguna reacción dentro de la Comunidad Internacional?*

-Definitivamente sí. Primero con la expulsión de la DEA de Venezuela se prendieron las alarmas, porque todos los enlaces policiales extranjeros se sintieron identificados con ellos, así como sus respectivos Gobiernos. Y mi "sustitución", creó un gran malestar entre algunos organismos Multilaterales como la OEA, la JIFE (ONU), la UNION EUROPEA, el GAFIC, el PLAN NACIONAL DE ESPAÑA, La CAN, el OBERVATORIO EUROPEO DE DROGAS Y TOXICOMANIA, el NIDA entre otros, de los cuales recibí muchas manifestaciones de solidaridad. Igualmente de casi todos los países con representación diplomática en el país. Incluso después que salí de la CONACUID recibí varias invitaciones de algunos países para reunirme con ellos a fin de que les explicara personalmente todo lo sucedido; también me dieron algunos embajadores diploma y medalla, por el gran aporte que había dado a la lucha contra las drogas y apoyo a esos países. Sin embargo de donde recibí un gran apoyo fue de la CICAD (Comisión Interamericana para el Control del Abuso de Drogas), de la cual tuve el honor de ser Presidenta y Vicepresidenta por dos años. El Secretario Ejecutivo, el señor David Beall, estuvo muy pendiente de lo que ocurría con mi persona y siempre me indicó que tanto el ex secretario General de la OEA, Cesar Gaviria y él, estaban muy preocupados por lo que estaba sucediendo conmigo y con el organismo y que no dudara en solicitar sus ayudas si fuera necesaria. Una de las preguntas que me hacia la Comunidad Internacional, de cómo era posible que Venezuela estaba siendo utilizada por la FARC, para traficar con drogas y el Gobierno venezolano no hiciera nada el respecto, incluso muchos me explicaban las vinculaciones de grupos militares y de policías venezolanos con el trafico de drogas; así como de gente del alto gobierno con grupos insurgentes y de traficantes. Al parecer, la comunidad internacional sabía lo que estaba pasando en Venezuela, pero actuaban con discreción y diplomacia para no buscarse problemas con el gobierno. Pero estaban más claros que los venezolanos. En fin, era un secreto a voces.

Fueron días muy intensos pero a la vez de gran alegría, porque me di cuenta que mi trabajo había dado frutos, aunque en mi país, no se me reconociera.

LA LISTA CLINTON

-Usted conoce la llamada lista Clinton. Cuéntenos los detalles de ese documento y cómo se elaboró

-La lista Clinton (oficialmente nominada Specially Designated Narcotics Traffechers o SDNT List), es como se le conoce una lista negra de empresas y personas vinculadas y relacionadas con dinero proveniente del tráfico de drogas en el mundo. La Lista es emitida por la Oficina de Control de

Bienes Extranjeros (Offfice of foreign Assets Control, siglas OFAC) del Departamento del Tesoro de los Estados Unidos, y fue creada en octubre del año 1995 por Orden Ejecutiva 12.978, emitida por el expresidente Bill Clinton, como parte de una serie de normas para tomar medidas en la lucha contra las drogas y el lavado de activo o (lavado de dólares o legitimación de capitales como se le conoce en Venezuela)

-¿Es una denuncia contra el crimen y los criminales del mundo del narcotráfico?

-Bien, la Orden Ejecutiva 12.978, declaró a los carteles de la droga en Colombia como una amenaza a la seguridad nacional y economía de los Estados Unidos y comenzó a nombrar a los cuatro jefes del cartel de Cali: Gilberto Rodríguez Orejuela, Miguel Rodríguez Orejuela, José Santacruz Londoño y Helince Herrera Buitriago. Por otra parte las personas naturales o jurídicas, que aparecen en dicha lista "no pueden hacer transacciones financieras o tener negocios comerciales en los Estados Unidos y las empresas de dicho país que mantengan relación con ellos incurren en un delito". En diciembre de 1999, la Diane Feinstein y Penal Coverdell patrocinaron una nueva Ley ante el congreso llamada el "Foreign Narcotics King pin Designatión Act", que dio poderes a la Office of foreign Assets Control" (OFAC) con el fin de controlar, vigilar y supervisar las redes financieras de traficantes a nivel mundial, fundamentada en la exitosa Orden Ejecutiva 12978 o lista Clinton. La ley King pin fue o es un intento para replicar las sanciones económicas en contra de los carteles de la droga de Colombia, México, Perú, Asia, África, Europa y el Medio Oriente. Sin embargo en la práctica, la Orden Ejecutiva 12978, se aplica en Colombia, y de allí que las personas y empresas colombianas dentro de ésta lista no incurren en delito en su país, pero se ven limitadas sus transacciones con entidades bancarias. Incluso, ha habido casos en que aparecen en dicha lista personas que nunca han tenido relaciones con dineros ilícitos, pero que trabajan en compañías o empresas de fachada o maletín de organizaciones dedicadas al tráfico de drogas y que se han visto perjudicadas. La OFAC o Ley King pin se enfoca en los grandes traficantes de drogas del resto del mundo y básicamente sobre aquellas empresas o personas de todo el mundo que han tenido nexos con dinero proveniente deltráfico de drogas o con traficantes o están inmersos en delito de lavado de dinero.

-Ahora en la práctica estas organizaciones parecen haber enfocado sus baterías contra los carteles de Colombia y últimamente contra las relaciones de las FARC con militares y civiles involucrados en el tráfico de drogas en Venezuela. ¿Es así?

-En el 2003, el expresidente Bush decidió usar la Ley King pin para incluir a las FARC y las Autodefensas Unidas de Colombia como grupos dedicados al tráfico de drogas en vista a las múltiples actividades realizadas por estos grupos guerrilleros con el tráfico de drogas. Desde entonces la OFAC ha nombrado a jefes guerrilleros y paramilitares, igual como redes de lavado de dinero de los grupos armados.

-¿A quiénes se ha señalado?

-La aplicación de la ley King pin o la OFAC como también se le conoce, se ha extendido a otros países como es el caso que en septiembre del 2008, se incluyeron a tres oficiales del Gobierno de Venezuela que presuntamente ayudaban en sus actividades de tráfico de drogas a las FARC. Los nombres de estos oficiales venezolanos incluidos en la lista son: capitán de navío Ramón Rodríguez Chacín, y los generales Hugo "el pollo" Carvajal y Henry Rangel Silva. Posteriormente, en el año 2012 el Departamento del Tesoro en la referida lista al señala al general Clíver Alcalá Cordones y a los diputados chavistas Amílcar Figueroa, Freddy Alirio Bernal y Ramón Isidro Madriz Moreno un oficial del SEBIN, antigua DISIP. Estas imputaciones fueron hechas en documentos (correos electrónicos) extraídos del computador del guerrillero abatido Raúl Reyes.

-¿Qué delitos les imputan?

-Estados Unidos los señala de haber apoyado a las FARC y sus operaciones de tráfico de drogas y armas hacia los Estados

Unidos y Europa. Con ellos serían siete las personas del gobierno del expresidente Chávez señalados por estar vinculados al tráfico de drogas y al tráfico de armas con las FARC.

-¿Cómo afectan concretamente estas acusaciones a los imputados, porque para el Gobierno de Venezuela éstas no significan nada y no tienen credibilidad?

-Estar incluido en esta lista implica que ningún ciudadano, ninguna empresa de los Estados Unidos ni sus socios en cualquier parte del mundo pueden tener negocios con él o los señalados en la lista, so pena de recibir el mismo tratamiento por parte de las autoridades de los Estados Unidos. Supuestamente, tal como se desprende de algunos correos electrónicos encontrados en la computadora de Raúl Reyes, Clíver Alcalá Cordones y "el pollo" Hugo Carvajal, se habían reunido en el 2007 con Iván Márquez, uno de los miembros del secretariado de las FARC y que además presuntamente le ofrecieron armamento para la guerrilla. Ambos oficiales han estado mencionados en las investigaciones hechas del llamado "cartel de los soles", como parte del grupo de oficiales que aprovechando su posición han facilitado el tráfico de armas hacia Colombia y el tráfico de drogas hacia los Estados Unidos y Europa.

-¿A quienes más acusan las investigaciones de Estados Unidos?

-También el traficante de drogas Walid Makled está señalado como persona involucrada en el tráfico de drogas en Venezuela y vale la pena señalar que en los informes de inteligencia de las autoridades venezolanas y de países acreditados en nuestro país, durante mi gestión como Presidenta de la CONACUID, todos aparecían mencionados como miembros del cartel de los soles dedicados presuntamente al tráfico de drogas con la guerrilla colombiana y facilitar su traslado a Norteamérica y Europa.

-¿De qué se acusa a los diputados venezolanos?

-De acuerdo a lo que aparece en la computadora de Raúl Reyes el diputado al Parlatino, Amílcar Figueroa fue incluido en la lista Clinton u OFAC por apoyar a grupos terroristas y esta solicitada su extradición por parte de Colombia. Se dice que era el contacto del expresidente Chávez con la guerrilla colombiana. En cuanto a Freddy Bernal, fue incluido en la lista por haber enviado a 22 personas a cursar un seminario de explosivos dictado por la guerrilla. A Bernal lo conozco desde hace algún tiempo ya que estuvo procesado por el golpe del 27 de noviembre d 1992 en el tribunal en el cual me desempeñaba como juez penal de la República. Y en cuanto a Madriz Moreno, uno de los oficiales del SEBIN (Servicio Bolivariano de Inteligencia), por ser supuestamente uno de los encargados de coordinar la seguridad de los jefes de las FARC en sus visitas a nuestro país, ya que siempre se ha dicho y así lo señalaban los informes de inteligencia que muchos de los grandes jefes de la FARC vivían en Venezuela.

-Recientemente el Gobierno de Estados Unidos hizo una revisión de la lista Clinton...

-Sí. El 18 de abril del 2013, el Departamento del Tesoro publicó, una nueva edición de la lista Clinton (OFAC), en donde se ratifican las siete personas incluidas anteriormente, pero agregan nombres de empresas y personas vinculadas de alguna manera al tráfico de drogas, lavado de dinero y tráfico de armas. En esta nueva lista aparecen ratificados algunos miembros del gobierno de Maduro que ya aparecen en la lista anterior entre los que se encuentran algunos generales de las fuerzas armadas venezolanas y representantes del PSUV. Vale la pena destacar, que las personas que han sido mencionadas en la lista Clinton, han desestimado las imputaciones que se le han hecho en cuanto a sus vínculos con tráfico de drogas, lavado de dinero y el tráfico de armas, fundamentándose en la decisión de la Corte Suprema colombiana, que consideró que la presuntas pruebas encontradas durante el operativo militar efectuado en el asentamiento de la FARC donde falleció Raúl Reyes, no podían ser apreciadas como lícitas, dado que las mismas fueron obtenida de manera ilegal y no mediante un procedimiento judicial. Sin embargo, quienes se fundamentan en esta decisión desconocen el contenido de las leyes (Ley RICO) de los Estados Unidos y no entienden que para su ordenamiento jurídico pueden ser apreciadas como pruebas válidas en juicio; améri de que una ONG del Reino Unido hizo la experticia al computador de Raúl Reyes en el cual se demostró que eran auténticos los correos presentados y por lo tanto existían y podían ser fácilmente comprobables, ya que no hubo ningún tipo de alteración de los mismos. El peligro es que cualquier persona natural que aparezca en la lista Clinton u OFAC, puede ser detenido fuera de Venezuela y llevado a los Estados Unidos para su enjuiciamiento.

LOS AMOS DEL NEGOCIO

El siguiente es el perfil que dibuja la jueza Mildred Camero de las personas naturales de nacionalidad venezolana incluidas en la lista Clinton y personas naturales no incluidas en la lista, pero que aparecen mencionados en los informes de inteligencia como presuntamente involucrados en actividades de tráfico de drogas, lavado de dinero y tráfico de armas.

CAPITÁN DE NAVÍO RAMÓN RODRÍGUEZ CHACÍN

-Nació en Santa Ana, Estado Anzoátegui el 25/9/49. Participó en el golpe de estado del 27 de noviembre de 1992 contra el presidente Carlos Andrés Pérez. Estuvo detenido y se le sobreseyó la causa en 1994, como ocurrió con los demás golpistas. Durante el Gobierno de Rafael Caldera se mantuvo en la clandestinidad (1994-1999). Apoyó a Hugo Chávez quien asumió el poder en 1999, tras su triunfo electoral. En el 2002 fue designado Ministro de Relaciones Interiores y Justicia en reemplazo de Luis Miquilena quien renunció al cargo. Durante su estadía en dicho ministerio vivió los sucesos del 12 y 13 de abril del 2002. También en ese año fue acusado de mantener doble identidad ya que portaba cédula a nombre de Rafael Alberto Montenegro.

En diversas oportunidades ha participado como mediador de personas secuestradas por la guerrilla colombiana. En el 2007, Chávez lo designó como coordinador especial de la operación Emmanuel, hijo de la ciudadana colombiana Clara Rojas, nacido en cautiverio que sufrió por parte de la guerrilla colombiana de las FARC. El 4 de enero del 2008, es nombrado nuevamente MRIJ, sin embargo se mantuvo por muy poco tiempo, y se encarga de la protección del padre de la ex –canciller colombiana María Consuelo Araujo, el ex ministro Álvaro Araujo Noguera, quien estaba acusado de ser patrocinador de grupos paramilitares y secuestros. Rodríguez Chacín es uno de los autores intelectuales de la llamada masacre de "El Amparo", ocurrida el 29 de octubre de 1988. En el año 2010, la Corte Interamericana de Derechos Humanos, ordenó al Estado venezolano investigar y sancionar a todos los responsables de la masacre de El Amparo. Según informes de inteligencia tanto militares como civiles, el capitán retirado Rodríguez Chacín ha sido el principal coordinador de las FARC y del ELN en Venezuela, incluso antes de que fuera MRIJ. Incluso presuntamente, ha servido como coordinador de los intentos de subversión en Honduras como consolidación en aquél país como narco trampolín de las drogas provenientes de Venezuela con destino a México, Estados Unidos y Europa.

GENERAL (EJ) HUGO CARVAJAL BARRIO (EL POLLO)

-Nació en Puerto La Cruz, estado Anzoátegui. En el 2004 fue nombrado por Chávez como director de la DIM y también ocupó el cargo de Director de la DISIP, actualmente el SEBIN (Servicio bolivariano de inteligencia). Uno de los oficiales venezolano más cercanos con la guerrilla colombiana, es el general Hugo Carvajal Barrio, "el pollo Carvajal", quien ha facilitado protección y documentos de identidad a guerrilleros y traficantes colombianos en territorio venezolano, incluso el traficante colombiano Wilmer Varela (alias el Jabón) quien fue asesinado en el estado Mérida, portaba credenciales del DIM otorgados por el general Carvajal. De igual manera en informes de inteligencia de diferentes países, presuntamente aparece relacionado con el asesinato de dos miembros del ejército colombiano en territorio venezolano. Pero además ha sido señalado por la

DEA y autoridades colombianas y de otros servicios de inteligencia de varios países como ficha clave en Venezuela para los traficantes y guerrilleros colombianos. Se le vincula al traficante colombo-venezolano, jefe del cartel de la goajira Hermágoras González Polanco, quien poseía documentos oficiales para portar armas y carnet que lo acreditaba como comisario de la DISIP y agente de inteligencia de la Guardia Nacional Bolivariana. Asimismo, se le hace responsable de haber otorgado documento de identidad a Germán Briceño Suárez, alias Grannobles, y protección y documentos a 21 subversivos que actúan en territorio venezolano. Informes de inteligencia señalan que coordinó toda la logística para el desplazamiento de Iván Márquez a Miraflores para el encuentro con Chávez. Presuntamente, se dice que Carvajal, ha mantenido contacto con Dodier Yesid Ríos, quien conjuntamente con su hermano desde el año 2007, residen en la isla de Margarita, en donde cuentan con seguridad permanente de miembros de la Dirección General de Inteligencia Militar (Dgim), asignados por Carvajal. El clan de los Ríos trabajó durante muchos años para el comandante del frente 16 de las FARC Tomas Medina Caracas, alias El Negro Acacio, en envío de drogas y lavado de dinero (legitimación de capitales). Pero además Carvajal ha sido vinculado por organismos de inteligencias venezolanas, a la protección y suministro de credenciales a guerrilleros y traficantes, quien por medio de Pedro Luis Martín, quien fue director de inteligencia de la DISIP y uno de sus hombres de confianza se encargaba de la ejecución y entrega de los mismos. Durante muchos años el nombre de Pedro Luis Martín ha estado vinculado a hechos de corrupción, e incluso se ha dicho que ha sido testaferro de altos funcionarios del gobierno revolucionario. Su nombre apareció en distintas investigaciones de hechos de corrupción durante mi desempeño como juez y como ministro de Estado, Presidente de CONACUID. Del pollo Carvajal, existen grabaciones de varias agencias antidrogas extranjeras que en su momento pude escuchar, en donde aparece la voz del general alertando a traficantes de drogas para que evadieran un operativo antidroga. Según fuentes de información confiables, en el 2007, se iba a realizar un operativo para incautar 2.900 kilogramos de cocaína escondidas en un almacén en Puerto La Cruz, para ser exportados a Europa. La droga pertenecía a traficantes colombianos y un porcentaje del cargamento era del frente 10 de las FARC. Se detectó la llamada del general Carvajal a miembros de la Guardia Nacional y Dgim que custodiaban la droga, alertando sobre el operativo y la droga fue cambiada de lugar y la operación se frustró. Situaciones similares a esta se evidenciaron durante mi gestión en la CONACUID . Carvajal según informes de inteligencia, aparece vinculado a órdenes de asesinatos entre los que se encuentra un informante de la DEA en Caracas, de apellido Rodríguez, quien presuntamente fue asesinado por el CICPC por órdenes de Carvajal en donde aparecía involucrado un empresario venezolano vinculado al gobierno en una red de tráfico de drogas y lavado de dinero que actuaba entre Colombia y Venezuela. Otro caso es el de los oficiales colombianos que se infiltraron en territorio venezolano en busca de pruebas sobre los contactos de traficantes y guerrilleros con oficiales venezolanos, los cuales fueron descubiertos y brutalmente torturados y asesinados presuntamente en la sede de la GN, en el puesto de Santa Bárbara del Zulia. El gobierno colombiano se abstuvo de formular ninguna denuncia, ya que sus oficiales se encontraban haciendo espionaje en territorio venezolano. Fuentes de inteligencia señalan que se trató de un mensaje al ejército colombiano con el fin de evitar nuevas incursiones en territorio venezolano. A decir verdad el general Carvajal ha estado en la mira de las agencias de inteligencia extranjera por mucho tiempo, es el hombre fuerte de Venezuela, ya que concentra todo el poder por ser el que controla la inteligencia de todos los organismos oficiales, militares y civiles de inteligencia del país. En el 2008 fue incluido en la lista Clinton por su participación material y apoyo a las actividades de drogas de las FARC. Chávez lo sustituyó muy discretamente a raíz de estas denuncias y después de varios meses de ausencia fue designado el 4 de julio del 2012 Vice-Ministro de Seguridad Ciudadana. Estando Reverol en el cargo de MRIJ, lo designó Vice-Ministro para la Delincuencia Organizada. Fue designado por Maduro nuevamente como director de Dgim, cargo que ostentó hasta hace pocas semanas. El general Carvajal es una persona muy controvertida, no le gusta aparecer en público, pero es una de los personajes más deseados por las agencias antidrogas de varios países, pudiera ser detenido fuera del país en caso de que viajara al exterior, ya que tiene una orden de captura internacional.

GENERAL (EJ) HENRY RANGEL SILVA

-Nació en Santiago, estado Trujillo en 1961, es el actual Gobernador de su estado natal. Ha desempeñado varios cargos públicos: Fue titular del Ministerio de Defensa y del Comando Estratégico Operacional de las FAN. También estuvo a cargo del Concejo Nacional de la Vivienda (CONAVI), en el 2005 fue director de la DISIP, en sustitución del general Miguel Rodríguez Torres. También fue director de la CANTV. Ha sido uno de los generales más fieles a Hugo Chávez. Y participó con él, en el golpe de Estado del 4F del 92. Desde 2010 ostenta el rango de General en Jefe. Rangel Silva fue implicado en el escándalo de la valija de Guido Antonini Wilson, en su condición de director de la DISIP, por haber enviado a Miami a un militar para que se entrevistara con Antonini Wilson, con el fin de encubrir el origen de los 800.000 dólares que le fueran decomisados a éste en el aeropuerto de Argentina y que presuntamente había enviado Hugo Chávez para apoyar la campaña presidencial de Cristina Fernández de Kirchner.

El 12 de septiembre del 2008, el Departamento del Tesoro de Estados Unidos ordenó congelar cualquier cuenta bancaria o bienes que Rangel Silva, pudiera tener bajo jurisdicción estadounidense, con la argumentación de que el General había apoyado militarmente a las FARC en sus actividades de tráfico de drogas.

En agosto del 2009, el diario The New York Times, publicó un artículo en donde se citaba una supuesta carta interceptada al guerrillero de FARC Iván Márquez, en donde se discutía sobre un plan de compra de armas a funcionarios venezolanos y se mencionaba al general Rangel Silva y al ex ministro Ramón Rodríguez Chacín. De acuerdo a este artículo, Rangel Silva suministraba documentos de identidad a guerrilleros colombianos para que recibieran las armas en territorio venezolano en el estado Amazonas. La cinta presuntamente había sido obtenida del computador de Raúl Reyes, en donde se mencionaba la necesidad de las FARC de obtener cédulas de identidad venezolana bajo la supervisión de Henry Rangel Silva. Como lo señalé anteriormente es uno de los oficiales más radicales y fieles a la revolución que encabezó Hugo Chávez. Ha dado diversas declaraciones polémicas que han trascendido a nivel internacional, siendo incluso rechazadas no solo por la oposición venezolana, sino por la internacional socialista y el mismo José Miguel Insulza, secretario general de la OEA La más criticada ha sido la que afirmó que "las fuerzas armadas venezolanas estaban casadas con el proyecto político socialista que representaba Hugo Chávez y en donde luego concluyó "que la llegada de un gobierno diferente al chavismo a Venezuela era inaceptable".

GENERAL (EJ) CLÍVER ALCALÁ CORDONES

-El 08 de septiembre del 2008, el departamento del Tesoro de los Estados Unidos agregó al general del ejército venezolano Clíver Alcalá Cordones a la Lista Clinton por considerar que empleó su puesto para establecer presuntamente una "ruta" de armamento a cambio de drogas.

El general Alcalá Cordones, egresó de la Promoción Bicentenario del Natalicio del Libertador de 1983. Luego se especializó en Blindados. En el 2002 dirigió la toma de la Policía Metropolitana, órgano acusado de dar el golpe de Estado el 11 de abril del mismo año. En el 2007, estando destacado en Maracaibo, formó parte de un equipo de funcionarios de la DIM, conjuntamente con Daniel Macías, quien fue identificado por el Comandante del Core 2, general de la Guardia Nacional Castor Pérez Leal, como un delincuente con prontuario por robo y tráfico de drogas. El comandante de la Guardia Nacional, pidió investigar a Alcalá Cordones por estar igualmente involucrado en hechos de corrupción y tráfico de drogas; pero la respuesta fue sacar al general Pérez Leal de su cargo. Macías murió posteriormente, en la cárcel de Maracaibo y se acusó de su muerte a José Mazuco Sánchez, director de la Policía de San Francisco. Estando en Valencia -estado Carabobo- en el año 2008, sostuvo gravísimos problemas con el gobernador de esa entidad, el también general de la Guardia Nacional Luis Felipe Acosta Carlés y su pupilo Walid Makled. En el mismo mes de noviembre, son detenidos tres de los hermanos de Walid Makled y se corrió el rumor entre los cuerpos policiales y de inteligencia del estado Carabobo y nacional, de que quien decidió las detenciones de los hermanos Makled y ordenó sembrar la droga en la finca "Tocayito" propiedad de la familia Makled fue el general Alcalá Cordones. En agosto del 2010, Chávez lo nombró Comandante de la IV División Blindada y le tocó enfrentar la explosión del arsenal de Cavin el 30 de enero del 2011.Ha sido mencionado por Walid Makled, por Aponte-Aponte y Velásquez Alvaray de estar involucrado en el tráfico de drogas. Los informes de inteligencia tanto nacionales como internacionales, lo mencionan como uno de los presuntos capos de la droga en Venezuela por su activa y constante relación con las guerrillas de las FARC y es incluido en la Lista Clinton por sus supuestos vínculos con esa organización guerrillera, así como por facilitarles rutas para el intercambio de drogas por armamento. Según el computador de Reyes Reyes los generales Clíver Alcalá Cordones y Carvajal Barrio se reunieron con Iván Márquez en el año 2007, ofreciéndole armamento para las guerrillas a cambio de drogas. Igualmente se le ha señalado como miembro y líder del denominado "cartel de los soles", y que se ha aprovechado de su posición para facilitar el tránsito de la "coca" colombiana hacia los Estados Unidos y Europa. Según los correos extraídos del computador de Reyes se hablaba igualmente del Plan Patria que contaba con tres aspectos: Un plan estratégico, un plan de finanzas y armas y por último un plan de política de fronteras. En la actualidad, porque además, fue ratificado por Maduro su nombramiento, se desempeña como Jefe de la REDI Guayana. Es decir, el 25 de julio del 2012, el expresidente Hugo Chávez lo designó Jefe de la Región Estratégica de Defensa Integral Guayana, una zona de muchos conflictos y en donde se ha señalado a través de diferente Informes de Inteligencia que maneja el Gobierno, el apoderamiento y control por diferentes grupos subversivos de la zona minera, con el brutal aislamiento de los propios mineros y su imposibilidad de poder explotar la minería en territorios venezolanos. Se han efectuado grandes matanzas y todo tipo de abusos de parte de la guerrilla colombiana de las FARC a la que se le ha permitido realizar operaciones ilícitas bajo el amparo de las propias autoridades nacionales. El general Clíver Alcalá Cordones está actualmente casado con una hija del traficante colombo-venezolano Eudo González Polanco, fallecido en la matanza de Bejuma, estado Carabobo y sobrina del también traficante de drogas colombo-venezolano y presuntamente jefe del cartel de la Goajira Hermágoras González Polanco, actualmente detenido en la sede del SEBIN desde el 6 de mayo del 2008. Está solicitado por Colombia y los Estados unidos por el delito de tráfico de drogas continuado y diversos homicidios ocurridos en Colombia y Venezuela.

FREDDY ALIRIO BERNAL ROSALES

-Nació en San Cristóbal, Estado Táchira, el 16 de junio de 1962. Se graduó en la Escuela de Formación de Oficiales de la Policía Metropolitana, en técnico Superior en Tecnología Policial. Es licenciado en Ciencias Policiales y fue Director del Grupo Ceta (Comando Especial Táctico de Apoyo), dedicado a operaciones especiales y de alto riesgo. Durante el Gobierno de CAP, fue encargado de diversas operaciones de seguridad de Estado, y estuvo en Nicaragua custodiando a la señora Violeta Chamorro. Posteriormente, simpatizó con el MBR-200 por sus ideales izquierdistas y se sumó a los intentos revolucionarios implicándose activamente en la asonada del 27 de noviembre de 1992. Se postula a las elecciones legislativas de 1998 y obtiene el curul de diputado y en 1999 se vuelve a postular como miembro de la constituyente para la Asamblea Nacional, siendo elegido por la circunscripción del Distrito Federal. Posteriormente, se postula para la Alcaldía del Municipio Libertador, obtiene el triunfo y se convierte en una de las prominentes personalidades del chavismo. Es nuevamente reelecto en el 2004, como alcalde del municipio Libertador. En el 2007, ingresa a las filas del PSUV y en la actualidad se desempeña como diputado a la Asamblea Nacional. Durante su desempeño como alcalde del municipio Libertador, se crearon los llamados colectivos (grupos armados) presuntamente con el fin de defender la revolución. Es considerado como uno de los peores alcaldes que ha tenido Caracas, y durante su estadía en dicho municipio reinó el terror, la desidia y la delincuencia apañada por su gestión. No hizo nada por la ciudad, salvo una gran inseguridad que aún persiste en el tiempo de manera sostenida.

El 08 de septiembre del 2008, fue incluido por la Office of Foreign Assets Control en la lista OFAC, ha sido relacionado con un supuesto intento de traficar con armas para abastecer a las FARC de Colombia. También se le relacionó con un seminario de fabricación de explosivos con 22 alumnos, efectivos policiales de la Policía del Municipio Libertador, dictados por la guerrilla de las FARC (práctica terrorista de dictar seminarios por los propios guerrilleros). Bernal estuvo durante mucho tiempo investigado por la DISIP y por los Tribunales por su postura radical y de apoyo al expresidente Chávez en sus intentos golpistas contra el gobierno de Carlos Andrés Pérez. Pero además, su nombre aparece en las cintas extraídas del computador de Reyes Reyes en donde se le relaciona como colaborador en el tráfico de armas. Bernal fue investigado por mí cuando fui juez del Juzgado 2 de primera Instancia en lo penal del Área Metropolitana de Caracas, por los sucesos del 27 de Noviembre de 1992. Se le imputaba el delito de sustracción de armas del parque de armas de la Policía Metropolitana. Las armas de manera repentina aparecieron en dicho parque cuando el tribunal efectuó una inspección ocular, sin embargo, la investigación continuó porque existían muchas inconsistencias de las pruebas que constaban en autos. Fue detenido muchísimas veces por la DISIP por estar conspirando contra el gobierno de CAP y tiene un amplio prontuario policial por hechos delictivos.

AMÍLCAR FIGUEROA

-Fue Vicepresidente alterno del Parlamento Latinoamericano (Parlatino). Está solicitado por Colombia por haber dado apoyo a grupos terroristas y ser uno de los principales proveedores de armas a la FARC. Según las autoridades colombianas es el mismo "tino" que aparece en muchísimos correos del computador de Raúl Reyes y de Iván Márquez. Es considerado como uno de los contactos del gobierno de Hugo Chávez, con las guerrillas colombianas. Fue incluido en la lista Clinton el 08 de septiembre del 2008, por facilitar armas a las FARC.

RAMÓN MADRIZ MORENO

-Cumple o cumplió funciones en el nuevo Servicio Bolivariano de Inteligencia (SEBIN), anteriormente conocido como la DISIP. De acuerdo a Informaciones de inteligencia de agencias antidrogas y antiterroristas internacionales, Madriz era el encargado de coordinar la seguridad de los Jefes de las FARC en sus visitas a nuestro país. Fue incluido en la lista Clinton, de acuerdo a los correos extraídos del computador de Reyes Reyes en donde se evidencia presuntamente su activa participación como el coordinador de seguridad de las FARC.

GENERAL (Ej.) MIGUEL EDUARDO RODRÍGUEZ TORRES

-Si bien es cierto que el general Miguel Eduardo Rodríguez Torres no ha sido incluido en la lista Clinton, no es menos cierto que se trata de un personaje emblemático y controversial de la revolución del siglo XXI liderada por el expresidente Chávez, quien merece toda la atención dada su participación activa en el quehacer diario de la vida pública venezolana. En efecto, el general Rodríguez Torres siendo capitán dirigió el ataque a la residencia presidencial de La Casona, el 4 de febrero de 1992, donde fueron asesinados los encargados de la custodia de la familia del presidente Carlos Andrés Pérez. El nombre de este general, ha surgido en cada trabajo de investigación y de inteligencia realizados sobre los carteles u organizaciones de drogas, tanto en Venezuela como por otros países y muy especialmente en Colombia. Y esto se debe a que su padre Jorge Rodríguez Galvis, ha fungido desde hace muchos años como enlace con la guerrilla de las FARC en el Alto Apure (Estado Apure).

Fue señalado en su oportunidad como uno de los autores intelectuales de la fuga del traficante y guerrillero colombiano José María Corredor Ibague, alias "El Boyaco", quien se encontraba detenido en la sede de la DISIP en Caracas, actual SEBIN, siendo él su Director. Por otra parte, el padre del general Rodríguez, para el momento de la fuga de El Boyaco, era el alcalde Mayor en el Alto Apure por el MVR, justamente la base de operaciones de las FARC en Venezuela y El Boyaco para el tráfico de cocaína hacia los Estados Unidos y Europa. La fuga de El Boyaco dio mucho que hablar entre los órganos de seguridad de estados tanto nacionales como internacionales. Y los rumores eran que el general Rodríguez Torres recibió una cuantiosa suma de dinero en divisas norteamericanas (dólares) por la fuga. No hubo ninguna investigación al respecto de parte de las autoridades venezolanas, pero al parecer sí por otros gobiernos extranjeros. Asimismo, ha sido señalado por organismos de inteligencia nacionales y extranjeros, de formar parte del mal llamado "cartel de los soles", junto a otros generales y civiles como el señor Luis Correa (ex Director de la ONA), Alexander Del Nogal, el "gordo" González Morales entre otros. De acuerdo con la data incautada en el computador de Raúl Reyes, se pudieron extraer correos electrónicos intercambiados entre la senadora Piedad Córdova y su asistente personal Andrés Vásquez con el director de la DISIP de Venezuela para ese momento, el general Rodríguez Torres con el fin de coordinar apoyo logístico a grupos árabes en supuestos operativos de Hezbollah en el estado Nueva Esparta, así como de la guerrilla de las FARC. Igualmente ha sido vinculado por los órganos de inteligencia nacional y extranjeros al traficante colombo-venezolano Hermágoras González Polanco, "alias el gordito", quien se desplazaba por todo el territorio nacional portando credenciales de comisario de la DISIP y de la Guardia Nacional, y su personal de seguridad poseía carnet de agentes de inteligencia. El general Miguel Eduardo Rodríguez Torres, también ha sido acusado de ser el verdadero verdugo junto a José Vicente Rangel, del fiscal Danilo Anderson. Pero además, por haber participado en el asesinato de varios policías, cuando asaltó el 4 de febrero La Casona, está siendo investigado por la Fiscalía del Tribunal Penal Internacional, pudiendo ser detenido por la INTERPOL, en caso de una decisión judicial en su contra.

GENERAL (GN) FRANK JOAQUÍN MORGADO GONZALEZ

-El general(r) Frank Morgado nació el 4 de enero de 1951, en Maturín, estado Monagas, y ha sido vinculado a operaciones de tráfico de drogas durante mucho tiempo e incluso fue investigado por el caso del general Guillen Dávila. De acuerdo a documentos de la DEA y de trabajo de inteligencia de la policía venezolana, el general Morgado utilizó su posición como "Jefe del Comando Antidrogas de la Guardia Nacional", para darle protección a organizaciones criminales dedicadas a transportar drogas a los Estados Unidos y Europa. Pero también el general retirado Frank Morgado ha sido vinculado por los organismos de inteligencia del país, de haber ordenado la muerte en septiembre del 2004, en Maturín, del periodista Mauro Marcano y de extorsionar a comerciantes en el oriente del país, con el fin de involucrarlos en delitos de legitimación de capitales (lavado de dinero). Por tales razones fue denunciado ante la fiscalía 4 del Ministerio Público del Estado Nueva Esparta. Durante su gestión en el Comando Antidrogas de la Guardia Nacional, sostuvo enfrentamiento con funcionarios de la División de drogas del CICPC, de la Fiscalía General de la República, con la Comisión Nacional Contra el Uso de las Drogas (CONACUID), y con casi todas los enlaces policiales extranjeros acreditados en el país y muy especialmente con la DEA, organismo policial extranjero, a quien a través de un Informe falso logró que fuera expulsada en el año 2005 del país. La DEA, así como otras agencias antidrogas extranjeras lograron reunir suficientes pruebas de las actividades ilícitas y de tráfico de drogas del general Morgado, razón por la cual el general con la ayuda de la DISIP y el vicepresidente de la Republica José Vicente Rangel, levantaron con documentos y testigos falsos el Informe, que luego fue presentado al ex presidente Chávez mediante el cual fue disuelto el convenio bilateral suscrito por la República y el Gobierno de Estados Unidos de cooperación en la lucha antidrogas y en consecuencia el retiro del país de la agencia y la sustitución de la Presidenta de la CONACUID para el momento, Mildred Camero. El general Frank Morgado, desde su llegada al Comando Antidrogas de la GNB, demostró una actitud hostil hacia el trabajo que venía realizando la CONACUID con los cuerpos policiales venezolanos y extranjeros dedicados a la lucha antidroga, logrando incluso desmantelar y apoderarse de los bienes muebles (vehículos, celulares, computadoras, teléfonos etc.) de los grupos de inteligencia que venían funcionando de la Guardia Nacional y la policía científica en la lucha antidrogas, bajo la supervisión y vigilancia del Ministerio Público y la CONACUID . Desde que llegó al cargo torpedeó por todos los medios las actividades desplegadas por los grupos e incluso frustró muchísimas operaciones de decomisos de drogas y detenciones de traficantes, su misión fue crear el caos con el fin de evitar una política en materia de lucha antidrogas en Venezuela.

GENERAL (GN) ALEXIS MANEIRO GOMEZ

-El general(r) Alexis Maneiro Gómez, fue jefe del Core 7, ubicado en Cumaná, estado Sucre. Fue jefe de Inteligencia de la Guardia Nacional y Director de la Academia de la Guardia Nacional. Según informes de la DEA, utilizó su cargo para dar protección a grupos de traficantes con el fin de facilitar el envío de drogas a Estados Unidos y Europa. Los informes de inteligencia evidencian sus relaciones con los hermanos González Polanco, a quienes ayudó a realizar operativos en contra de grupos guerrilleros contrarios a la organización de los Polanco, con el fin de fortalecer la organización de éstos. Tanto Walid Makled como los Hermanos González Polanco, portaban credenciales firmados por Maneiro, como oficiales "encubiertos" de la Guardia Nacional". De acuerdo a informes de inteligencia de la DEA, conjuntamente con Frank Joaquín Morgado y Alexis Maneiro; trabajaban los oficiales Eran Salas Carios, jefe de la Unidad Especial Antidrogas que opera en el aeropuerto de Maiquetía, y Vicente Manuel Guido Silva, en sus actividades de tráfico de drogas.

El Gobierno norteamericano como no confiaba en estos Generales ni de otros oficiales que fungían de ayudantes de ellos les revocó la visa, y solicitó a la fiscalía de ese país una averiguación contra ellos. Fuentes de inteligencia nacionales han señalado que por orden del Gobierno Nacional, se dice que el propio José Vicente Rangel ordenó engavetar los expedientes de las investigaciones efectuadas por autoridades venezolanas y extranjeras, en su contra. En cuanto al general Maneiro fuentes de inteligencia revelan que ha continuado sus actividades con la organización criminal de los González Polanco, y que incluso se han extendido hasta República Dominicana en donde presuntamente lo estaban investigando por lavado de dinero y presuntamente también estaba vinculado el ex embajador de Venezuela en ese país, general (r), Francisco Belisario Landis. Tanto Morgado como Maneiro enfrentan cargos en Estados Unidos también por utilizar y facilitar el tráfico de drogas para el financiamiento de la lucha armada a las FARC.

GENERAL (GN) JESUS ARMANDO RODRIGUEZ FIGUERA

-El general Jesús Armando Rodríguez Figuera, fue comandante de la Policía del estado Lara y durante su gestión fue vinculado al tráfico de drogas y al traficante Farid Domínguez. Según fuentes de inteligencia policial el general Rodríguez Figuera le daba protección especial con funcionarios activos policiales a este traficante y utilizó su cargo de director de la policía estadal para facilitar el tráfico de drogas. Ha sido imputado por abuso policial, cobro de vacuna, muertes por ajustamiento y hechos de corrupción (peculado de uso, abuso genérico de funcionarios, peculado doloso, lucro de funcionario, delitos de encubrimiento, codelincuencia, delitos contra la administración de justicia en aplicación a la Ley de contra la Corrupción en el año 2007, por los Diputados del CLEL, es decir por la Comisión Especial designada por Consejo legislativo del Estado Lara). El general Rodríguez Figuera le otorgó una credencial a Farid Domínguez que lo acreditaba como comisario de la Policía del Estado Lara. Durante su gestión aparecieron los llamados "escuadrones de la muerte", dando lugar a una situación de zozobra al pueblo larense por la desaparición física de muchísimas personas, sobre todo a disidentes al gobierno del gobernador Reyes-Reyes y del ex presidente Chávez.

Rodríguez Figuera, estuvo destacado en la CONACUID, durante mi gestión, sin embargo personalmente le solicité al general Belisario Landis su cambio ya que descubrí que no solo grababa a todo el personal que laboraba en dicha oficina ministerial, sino también a mi persona y sobre todo, a los funcionarios dedicados a realizar labores de inteligencia policial y represión. Incluso, hubo pruebas de la desaparición de documentos importantes y de su participación en la sustracción y pérdida de algunos de ellos. Está inhabilitado para el ejercicio de funciones en la Administración Pública, por orden de la Contraloría General de la República. Durante la gestión del ex presidente Chávez, dirigió la Sala Situacional de Miraflores, al parecer Maduro lo ratificó en su cargo.

GENERAL (GN) MIGUEL RAMÍREZ

-El general Miguel Ramírez ha sido comandante general de la Guardia Nacional y Jefe del Comando Antidrogas, entre otros cargos importantes que ha desempeñado. Durante su gestión en el Comando Antidrogas, no estuvo muy de acuerdo con la creación de los grupos especiales pero tampoco opuso resistencia, ni saboteó su trabajo, por lo menos eso es lo que hasta ahora sé. Durante su desempeño en el Comando Antidrogas, hubo muchos rumores que de alguna manera lo comprometían como que facilitaba operaciones de tráfico de drogas, incluso se recibieron muchas denuncias en su contra. Sin embargo debo decir, que por mis manos no pasó ningún documento oficial e informes de inteligencia nacional o extranjeros que lo relacionara o vinculara con actividades delictivas de corrupción y básicamente de drogas. Tuve siempre la impresión de que era de esos generales muy institucionalistas y que no le merece mucha confianza la participación de mujeres en una actividad tan difícil como era dirigir una institución dedicada a diseñar, supervisar y coordinar la políticas públicas en materia de drogas como era la CONACUID. No era muy querido por sus subalternos, quienes afirmaban que estaba "metido" en el negocio de las drogas"

GENERAL (GN) FRANCISCO BELISARIO LANDIS

-A Belisario Landis lo conocí siendo Juez Penal, trabajé con él, en varios casos de drogas, tuvimos algunas diferencias de trabajo, básicamente sobre la forma de instruir expedientes de drogas, pero siempre mantuve excelentes relaciones con él. Se le vinculaba muchísimo a actividades ilícitas, sobretodo de facilitar el traslado, la siembra y contrabando de drogas y de apoyar a grupos u organizaciones dedicadas al tráfico de drogas. Incluso, se llegó a afirmar que Francisco Belisario Landis era el verdadero jefe del cartel de los soles. Debo indicar, que siempre fueron rumores fuertes, pero que siempre quedó allí. Nunca tuve documentos privados u oficiales que lo señalaran directamente de hechos de corrupción o de estar vinculados a actividades de tráfico de drogas. Siempre se quedaron en rumores, falsos o no pero jamás nadie me denunció hechos concretos.

La última vez que lo vi estaba de Embajador de Venezuela en República Dominicana. Encontrándome en una reunión de la Comisión Interamericana para el Control del Abuso de Drogas (CICAD), OEA, él estuvo en la reunión y compartimos en un almuerzo en privado. No me sorprendió que lo vincularan con los Hermanos Polanco y el general Maneiro, porque sobre él, siempre se han dicho muchísimas cosas pero nunca ha habido ninguna investigación judicial al respecto, o por lo menos no tengo conocimiento.

Hay tres Generales de la Guardia Nacional, ya en retiro, que he mencionado pero que quisiera hacer un aparte con ellos y son el general Orlando Hernández Villegas, el general Manuel Igor Verde Acosta y el general Páez Cabrera. Todos fueron Jefe del Comando Antidrogas de la Guardia Nacional. Al primero, lo conocí siendo juez penal, estuvo mencionado en el caso del General Guillén, y doy fe de que fue involucrado injustamente en dicho caso. Tuve conocimiento del mismo, incluso antes de que se instruyera el expediente y que llegara a los tribunales. Pero en el ramo militar, hay mucha envidia, celos, desconfianza, y la traición juega un papel muy importante. Hernández Villegas fue víctima de la infamia. El general Verde, fue cambiado injustamente del Comando cuando venía realizando una excelente labor, a raíz de que para la época, siendo Coronel y jefe del estado mayor Luis Felipe Acosta Carles, se le perdieran más de 500 kilos de cocaína de un depósito dentro del propio comando antidrogas, no solo salió perjudicado Acosta Carles sino el propio General Verde quien fuera cambiado a la frontera colombo venezolana. Y al general Páez Cabrera, siempre mis respetos a este hombre luchador, honesto y trabajador, pero sobretodo con una gran vocación de servicio y un gran apego a su condición de militar profesional e institucionalista. Y por último no por ser menos importante, al coronel Jairo Coronel, quien también fuera Jefe del Comando Antidrogas y quien realizó durante su estadía en esa institución una loable labor de investigación y depuración de grupos de funcionarios y personas vinculadas actividades ilícitas y al tráfico de drogas. Trabajé duramente con él no solo en la detención de traficantes de drogas y en decomisos, sino también en el desmantelamiento de organizaciones criminales como una célula del cartel de Cali que operaba en Venezuela. El coronel Jairo Coronel, es un gran apasionado a la investigación, y tiene una capacidad de comprensión del problema de una manera realista y práctica. Saludo su apoyo durante las épocas difíciles de trabajo y de días largos y tediosos, pero con resultados muy exitosos.

LA BANDA DE LOS ENANOS

El dinamismo venezolano va dejando en el olvido situaciones que afectan la vida del país y en el caso de la administración de justicia esto es más grave aún. Es así como grupos delictivos como la conocida "banda de los enanos" prácticamente ha desaparecido de la diaria rueda informativa a pesar de que esta banda se mantiene intacta y opera con impunidad en el ámbito de la justicia venezolana. La jueza Mildred Camero es una sobreviviente de los efectos nocivos de este grupo que mantiene intactas sus garras y tuercen día a día la justicia idónea y transparente de la que aspiran ser beneficiados todos los venezolanos.

- Usted conoció la llamada banda de los enanos ¿quiénes son y cómo operan?

-Le dicen los enanos porque está conformada por jóvenes abogados de baja estatura. Solo conocí a uno de ellos de nombre Mariano Díaz, y esto porque era sobrino de juez Cristóbal Ramírez Colmenares (difunto) y tengo entendido trabajó con el tío en el tribunal. Pero en honor a la verdad, este joven abogado muy poco litigó en el tribunal a mi cargo. Las veces que lo vi dentro del tribunal, soy lo más sincera del mundo, lo mandaba a marcar con unos de mis funcionarios. ¿Qué significa marcar? Que le colocaba una persona muy cerca cuando estaba pidiendo o leyendo un expediente, o cuando hablaba con un escribiente en particular, porque tenía muy mala fama de desaparecer expedientes, de ofrecer dinero, pruebas etc. Lo que hacía era vigilarlo y él, lo sabía por eso casi nunca iba al tribunal, es decir le montaba una cacería y las razones es que tenía conocimiento porque era un rumor muy fuerte por los tribunales de que existía una banda de abogados liderada por este joven que operaban en los tribunales de forma deshonesta pero que afortunadamente no pudieron operar en el tribunal a mi cargo. En los tribunales se aseguraba que quienes conformaban, esta "banda", eran además de Mariano Díaz, Sócrates Tinoco, Gustavo Perdomo y Raúl Gorrín. Incluso, se comentaba que también estaba involucrada la presidenta del circuito judicial penal de

Caracas, para la época, la abogada Belkis Cedeño, pero ya entonces yo no estaba en los tribunales sino en la CONACUID. En relación a esta persona, según fuentes periodísticas, la abogada Cedeño, fue destituida del Poder Judicial, por abusos de sus funciones. Posteriormente fue designada como Cónsul en Vigo-España, cuando el señor Maduro, se desempeñaba como Canciller. Al parecer. La señora Cedeño, se presentó al consulado venezolano, sin que aún la titular del Consulado tuviera conocimiento de que había sido sustituida de su cargo y como manifestó que no tenía conocimiento del nuevo nombramiento, fue objeto de una agresión de parte de la nueva supuesta cónsul y de su hija, ocasionándole diversas heridas y golpes lo cual motivó que la llevaran de emergencia a un centro hospitalario de la ciudad. Cedeño fue declarada dos veces como presunta indiciada por las autoridades de ese país. Pasado el tiempo la causa le fue sobreseída, sin embargo los abogados la demandaron por cobro y gastos tribunalicios, pero como la señora desapareció, estos acaban de solicitar un embargo preventivos de los bienes del consulados Venezolano en la segunda quincena del mes de enero del año en curso (2014).

-¿Qué tipo de actividades ilícitas realizaban estos abogados, podía ser más específica?

-Claro, según el rumor que se corría en los tribunales, incluso muchos abogados lo afirmaban, entre las actividades ilícitas que supuestamente realizaban estos abogados eran la compra de jueces, manipulación de expedientes, ocultamiento y desaparición de pruebas, de documentos, ocultamiento de antecedentes policiales y penales, extorsión, cobro por gestiones antes funcionarios públicos, gestiones de decisiones y libertades, comisiones no solo antes jueces, sino ante gente del propio José Vicente Rangel.

-¿Qué actitud asumía entonces José Vicente Rangel? ¿Cómo era su vinculación y actuación con el Poder Judicial?

-José Vicente Rangel siempre ha querido manipular jueces y expedientes durante toda su vida política. En la llamada cuarta República, mejor dicha durante la "democracia", intentó manipular y extorsionar, y algunas veces lo consiguió, bien sea a través de su columna semanal o su programa de televisión o sus contactos. Otras veces le fue difícil pero la presión que ejercía era tan grande que lograba el desprestigio y a veces lograba poner en duda la credibilidad de una persona.

La llegada de Hugo Chávez al poder y las diversas posiciones políticas que ha tenido dentro del Gobierno, lo ha ayudado mucho para sus intereses personales, ya que ha podido establecer fuertes vínculos comunicacionales con jueces, fiscales y abogados en ejercicio. Sin embargo, su estadía en la Vicepresidencia de la República, ha sido mucho más efectiva para obtener los frutos que él siempre ha deseado, cual es, manejar a su antojo la justicia venezolana, dado que su intervención no solo se limitó a manipular a jueces o expedientes, sino que se inmiscuyó directamente en el nombramiento de jueces y demás funcionarios judiciales. Dicho sea de paso lo que antes le criticó a AD y COPEI, lo ha venido haciendo este personaje, pero de manera inescrupulosa y con una gran diferencia. Porque en la época de la democracia sí había nombramiento de jueces apoyados por partidos, pero eran personas de reconocidas solvencia moral, además de estar preparados académicamente (casi todos tenían posgrados y doctorados, incluso en el exterior como mi caso específicamente), o profesores universitarios. Por supuesto que había uno que otro, que estaba fuera del lote, pero en realidad eran muy pocos, porque para los ascensos se estaba exigiendo estudios superiores universitarios. En este régimen la influencia de JVR en el Poder Judicial, ha sido nefasta, ya que ha intensificado la política dentro de los miembros de este organismo, amén de haber contribuido a la pérdida de su independencia. Decenas son las personas que han ingresado al Poder Judicial, sin ningún tipo de credenciales, ni experiencia judicial llegando a ocupar cargos, solo por el tráfico de influencia y con la finalidad de manipular las decisiones y expediente como directriz principal. Yo no recuerdo jamás que el Tribunal Supremo de Justicia, me haya llamado para decidir de acuerdo a lo pautado por ellos, ni que hayan impuesto criterios que no fueran lo previstos en la jurisprudencia, el señor Aponte-Aponte fue muy claro con respecto a este punto. Pues bien durante este Gobierno se ha utilizado la justicia como una herramienta contra personas no afectas al régimen, pero también se ha utilizado la justicia para amasar inmensas riquezas. Personas como Gustavo Perdomo, Raúl Gorrín, Mariano Díaz, que no son reconocidos precisamente por ser brillantes abogados, conocedores del derecho, se dice han llegado acumular grandes fortunas, y ser dueños de empresas de seguros, canales de televisión, con la ayuda de políticos menesterosos, como es el caso del señor Rangel, quien ha sido durante estos 14 años del gobierno revolucionario un vulgar "gestor" de la justicia venezolana. Aumentando de manera grotesca su poder político y como dicen algunos sus arcas personales.

-*¿Cree usted que las personas que han dirigido el Poder Judicial, y básicamente la Dirección Ejecutiva de la Magistratura (DEM), han sido las más idóneas?*

-Definitivamente no. Empezando que muchos de los magistrados que forman parte del Tribunal Supremo de Justicia, nunca, jamás, han debido ser nombrados "magistrados", empezando por la señora Luisa Estella Morales, quien fue destituida dos veces del Poder Judicial, por estar relacionada a actos de corrupción, mientras se desempeñaba como juez en su estado natal Yaracuy. Personajes como Alvaray y Aponte-Aponte, son lo contrario, los que nunca deben representar la justicia. El primero durante su gestión, es decir mientras le tocó dirigir la DEM, se apoyó en una serie de personas, sin escrúpulos, que aun siendo abogados, porque tenían el título, su desempeño como jueces estuvo siempre dirigido a resolver a favor del gobierno cualquier cuestión planteada, con el fin de proteger sus intereses. Jueces nombrados sin estudios académicos apropiados, sin experiencia ni experticia en la carrera judicial. Con Alvaray se inició la destrucción de la carrera judicial, manipuló y nombró jueces adeptos al régimen. Pasará a la historia como una de las personas que contribuyó a la politización del Poder Judicial. Así como también a la designación de solo jueces provisorios con el fin de poder manipularlos y lograr los objetivos políticos deseados.

El segundo, Aponte-Aponte, este ha sido otro de los personajes más nocivos que ha tenido el Poder Judicial en los últimos años y lo manejó a su antojo combinando el placer con la justicia. No solo nombró personas incapaces para que desempeñaran cargos de jueces, sino que utilizando sus dotes de "Don Juan", logró colar en la carrera judicial personas, que actuaban como simples operadores políticos, pero ejerciendo el cargo de juez. Fueron nombrados en esos cargos solo para satisfacer las expectativas políticas del difunto presidente Chávez. Durante la gestión de estos dos magistrados, como coordinadores de la Dirección Ejecutiva de la Magistratura (DEM), se cometieron los más graves atropellos en la historia judicial venezolana, como como nombramientos de jueces sin credenciales, personas designadas como jueces con antecedentes policiales y penales, militares activos designados jueces civiles, personas sin experiencia para optar a cargos judiciales, credenciales del partido de gobierno (PSUV) para poder optar a algún cargo dentro de la carrera judicial, jueces botados o sin derecho a ascenso (titulares), por aparecer en la lista Tascón, sujetos con una pobre reputación como abogados en ejercicio, pero con afinidad política y social de ambos magistrados. Pero lo más grave, es que estos dos magistrados salieron huyendo del país por estar vinculados uno a delitos de corrupción y el otro al tráfico de drogas, al parecer actividades a las que estuvo vinculado cuando formó parte del componente GN de nuestras FAN.

-¿Por qué estos magistrados fueron designados para coordinar a la DEM? Parece evidente que son nombramientos ajustados a los intereses del nuevo Poder Judicial que estaba conformando...

-Durante la democracia, los jueces eran designados por el Consejo de la Judicatura, que fue objeto de muchas críticas en relación a su desempeño en el nombramiento de los jueces y así como en relación a los procedimientos realizados para su destitución. Con la Constitución del 99, se elimina el Consejo de la Judicatura y se crea la DEM, pero no como un organismo independiente funcional y presupuestariamente, como sí lo era el anterior consejo. Sino que el nuevo organismo iba a depender del Tribunal Supremo de Justicia, tanto funcional como presupuestariamente. Pues bien, esto ha generado un verdadero despelote en la carrera judicial. Ya que si antes criticaban al Consejo de la Judicatura por los nombramientos de jueces, en honor a la verdad, allí sí se hacían los concursos previstos en la ley Orgánica del Poder Judicial, yo soy producto de ello, porque entré por concurso a la carrera judicial.

En la actualidad cada magistrado de sala se siente con derecho a postular candidatos; no se han abierto los concursos, porque sería quitarle esa facultad a cada magistrado de perder su cuota de poder. Los coordinadores nombrados para "coordinar", valga la redundancia, se ocupan de buscar adeptos al régimen para poder cumplir sus fines políticos. Por ello, no interesa la titularidad, ni los conocimientos, ni mucho menos los méritos académicos y universitarios. Solo personas listas a cumplir las órdenes de los coordinadores y demás magistrados. Con respecto al manejo del presupuesto, este ha sido totalmente politizado.

Los magistrados tienen altos sueldos, además de todos los beneficios imaginables. Los jueces activos, tienen una remuneración diferente a la de los jueces jubilados, a pesar de que la propia ley establece que los sueldos, así como los aumentos deben ser proporcionales para todos los funcionarios judiciales, sean activos o jubilados. La Presidenta del TSJ, acaba de anunciar un aumento del 40 por ciento a los jueces, lo que no dijo fue que ese aumento del 40% fue solo para los jueces activos, mientras para los jueces jubilados solo se concedió el 15%. Incluso la Ley Orgánica del Poder Judicial, establece un aumento anual a partir del 1° de enero de cada año, para todos los miembros del poder Judicial, esta regla no se cumple desde que el régimen chavista asumió el poder. Lo mismo sucede con los aguinaldos o bonos navideños, que han sido reducidos al mínimo, durante la gestión de la señora Morales, mientras los magistrados cobran hasta 8 meses de bono navideño. Por último, lo relativo a los cestatickets, los jubilados reciben

750 bolívares cada tres meses pero por concepto de medicina, mientras los magistrados 10.000 bolívares mensuales. Es decir, que la eliminación del Consejo de la Judicatura y la creación de la DEM, lo que ha generado al poder judicial es atraso, miseria, empobrecimiento y parásitos judiciales con afinidad política partidista, pretendiendo ser jueces o administradores de justicia; así como enormes diferencias económicas en detrimento de la carrera judicial, ya que además de politizar la justicia se han dedicado a manejar de manera discrecional el presupuesto asignado a este poder. Depender soberanamente del TSJ, ha sido la peor decisión que tomaron los constituyentitas, ya que no midieron las consecuencias que esa decisión podría causar en el desempeño de los miembros del poder judicial.

-Se dice que usted era muy rigurosa con los abogados y que se ganó esa fama por su empeño en que se administrara justicia correctamente...

-En verdad siempre tuve fama de ser muy fuerte, muy dura, como juez. Y siempre he tenido como norte que la misión del juez es la de administrar justicia. Quizás esta percepción que he tenido de la justicia, me ha llevado a tener muchos problemas en mi vida profesional y en especial como juez.

La fama me la gané más que nada porque no permitía que los escribientes me hicieran las decisiones y yo solamente las revisara. Por el contrario, ellos no tenían poder de decisión. Era yo quien hacía las decisiones en el tribunal y los escribientes lo que hacían era transcribirlas. Sabían cual era la decisión solo al final a la hora de realizarlas. Cuando colocaban en la hoja la decisión era que yo les pasaba cual había sido. Esto lo hacía para evitar antes que se publicara la decisión, que tanto los abogados como el público se enteraran de cuál había sido la misma y evitar cualquier cobro indebido o recusaciones. Es decir, evitar fuga de información. Pero además era muy recelosa con los abogados, escribientes y detenidos. Muchos me criticaban porque no daba libertad bajo fianza muy fácilmente, siendo muy apegada a la ley. Y al momento de dictar sentencia cuando los abogados me indicaban que su defendido era inocente les decía doctor, si su cliente es inocente no tiene nada que temer. Pero si las actas procesales dicen lo contrario tendrá que permanecer preso y cumplir su condena. De allí salió el nombre de la Thatcher, así me decían los presos y algunos abogados litigantes. Para mí el ser juez es lo más sagrado que existe. Hay que sentirlo, hay que vivirlo y hay que tener las condiciones físicas y mentales para mantenerse en la carrera judicial. Si alguien cree que se va hacer rico siendo juez, es mejor que renuncie. Ser juez es una misión en la vida. Yo siempre seré juez, me moriré y seguiré siendo juez. Por eso estando en la CONACUID, nunca dejé de serlo y por eso nunca me desligué del Poder Judicial.

LAS INTENCIONES DE CHÁVEZ

La llegada de Hugo Chávez al poder en 1999 generó muchas expectativas positivas en los diferentes ámbitos de la vida nacional. Y la lucha contra la corrupción en todos los sectores tocaba por supuesto al del Poder Judicial, que estaba en ese tiempo en medio de una debacle ética y moral preocupante.

-*¿Piensa usted que el ex presidente Hugo Chávez sí tenía intenciones de combatir el problema del narcotráfico en Venezuela?*

-Sí, pienso que sí, durante ese primer año de gobierno me dio la impresión de que sí quería enfrentar ese problema, yo decía, a pesar de que no voté por él, parece que el hombre tiene buenas intenciones sobre todo en la materia de drogas, me pareció muy colaborador en ese momento. Yo entro a CONACUID, y me asusté porque consigo un organismo devaluado y sin recursos, y me dije que iba a hacer lo posible para actualizarla y modernizarla. Luego veo, que tenía 500 millones de bolívares de presupuesto, aquello me asombró y me asustó, por suerte yo me había ido de comisión de servicio, porque ganaba más como juez que como ministra de estado en la presidencia de CONACUID. Afortunadamente con el apoyo de la gente que me acompañó durante mi gestión en la CONACUID, logré llevar a la Institución a un alto grado de reconocimiento por lo menos entre las demás dependencia encargadas de la lucha contra las drogas, así como de las respectivas ONG, que se ocupan del tema en el país. De igual manera el apoyo de la comunidad internacional y organismos multilaterales. Tripliqué el presupuesto de la Comisión y la CONACUID fue tomada como referencia institucional por la CICAD-OEA, para replicar entre los 34 países que conforman la OEA, vale decir, como organismo modelo encargado del diseño de las políticas públicas en la lucha contra las drogas (represión o interdicción, prevención, tratamiento y rehabilitación) en el continente americano.

-*¿Hubo o sintió usted resistencia interna o externa a su nombramiento como ministra Presidenta de la CONACUID ?*

-No hubo resistencia interna, es decir desde el Poder Judicial, para mi nombramiento como Presidenta de la CONACUID, por el contrario Gisela Parra, que era la presidenta del Consejo de la Judicatura, actuó con mucha celeridad, cumpliendo con los trámites que establecía la ley. Por otra parte, se trataba de una solicitud del Presidente de la República, unilateral, que le otorgaba y está previsto en las leyes. El problema comenzó después de un año porque la comisión de servicio fue dada por un año y para seguir en ella tenía el Presidente de la República que solicitarlo nuevamente. Mientras estuvo Iván Rincón no hubo problemas. Los problemas comenzaron después, cuando la magistrada Yolanda James, que para ese entonces era la coordinadora de la DEM, comenzó a presionar para que me devolvieran al Poder Judicial. Ella me mandó a llamar a su despacho y comenzó a presionarme señalándome que yo hiciera la solicitud para reintegrarme a mi cargo. Yo se lo comuniqué a Iván Rincón, y me dijo haz la pregunta al Presidente y si te dice que sí me llamas y yo busco la forma legal para que te quedes hasta que termines tu labor, que sé que lo estás haciendo bien. Hasta que efectivamente, consiguió la forma de mantener la comisión de servicio fundamentándola en el artículo 136 de nuestra carta magna que señala, entre otras cosas, lo siguiente "que cada una de las ramas del poder público tiene sus propias funciones, pero los órganos a los que incumbe su ejercicio colaborarán entre sí, en la realización de los fines del Estado". Así fue como pude continuar en comisión de servicio gracias al apoyo irrestricto que me dio, en ese momento, el presidente del Tribunal Supremo de Justicia, Iván Rincón, quien sí había sido juez durante muchos años y conocía al Poder Judicial muy bien por dentro.

ALVARAY EL VERDUGO

El ascenso vertiginoso de Luis Velásquez Alvaray se traduce en injusticias en el Poder Judicial. A él lo designan para convertir la justicia verdadera en justicia rojita. Él atropella sin compasión a muchos magistrados y se encarga de decirle personalmente a Mildred Camero que era una jueza incómoda, una piedrita en el zapato para el gobierno en su plan para controlar la justicia venezolana a su manera y a la conveniencia del gobierno de Hugo Chávez. La jueza Mildred Camero protestó el inmoral procedimiento y se acogió dignamente a su jubilación.

-¿Cuál fue el problema que usted tuvo con Manuel Quijada cuando éste se desempeñaba como Presidente del Consejo de la Judicatura?

-Así es. Ese señor sale de pronto en la televisión informando sobre una lista de jueces que habían sido destituidos del Poder Judicial y me nombra a mí. Yo estaba de Presidenta de la CONACUID y me encontraba en ese momento en la comisión, cuando uno de los directores me dice doctora están diciendo que usted esta destituida como Juez por corrupta. Me presento de inmediato a su oficina y comienzo a preguntarle las razones porque él me había incluido en esa lista, cuando no tenía ningún juicio pendiente en mi contra en el Poder Judicial. Y llegan los periodistas con las cámaras y comienzan a preguntarme y se me salió el Camero y digo ¿Cómo es posible que este señor me haya mencionado a mí, dónde está el juicio que provoca que me hayan destituido? Yo estoy en el Poder Judicial como Juez de la República y en los actuales momentos en comisión de servicio en la CONACUID. Quijada se da cuenta de su metida de pata, públicamente me pide perdón y me dice que se había equivocado.

- Cuando la destituyen o sustituyen formalmente, usted podía regresar al Poder Judicial, porque estaba en comisión de servicio...

-Claro que sí. Una vez que tuve conocimiento de mi sustitución, oficié a la DEM, solicitando mi reintegro a mi cargo como juez de la República y pedí audiencia con la persona que estaba encargada de la DEM, para ese momento que era Luis Velásquez Alvaray, ya que aún no me habían respondido el oficio sobre el reintegro. Entonces, me dan la audiencia para las 5pm, cuando llegué al despacho del magistrado, ya se encontraba el doctor Braulio Sánchez y le pregunté ¿qué haces tú aquí? Y me responde, bueno Mildred me suspendieron y no sé porque. Entra Braulio a hablar con el magistrado y como a las 5:30pm sale y me dice la secretaria entre usted doctora. Era la primera vez que veía personalmente a Velásquez Alvaray, y comienzo a explicarle que estaba en comisión de servicio en la CONACUID, que había concluido la comisión y que me quería reintegrar a mi cargo, y le explico brevemente lo ocurrido.

Él me dice, hay un problema, es que ese tribunal está ocupado, yo le contesto: ocupado provisionalmente, porque la titular soy yo, de acuerdo a la ley si me reintegro, el juez provisorio debe ser reubicado en otro cargo. Comienza a decirme que tiene dudas de lo que le digo y allí me doy cuenta que no conoce la Ley Orgánica del Poder Judicial, ni la de Carrera Judicial, ni los estatutos relativos a los concursos, por mencionar algunos. Luego me dice, bueno el problema no es ese, el problema es que no nos conviene que usted esté en el Poder Judicial. De inmediato le pregunto ¿por qué? Bueno, me responde, usted tiene un problema detrás. Y le respondo, de acuerdo a la Gaceta Oficial yo fui sustituida en el cargo, no destituida, por lo tanto puedo regresar al Poder Judicial, porque además, yo estaba era en comisión de servicio, no abandoné el cargo, cobré y cobro por aquí, e igualmente me han pagado todos mis beneficios por aquí, por el Poder Judicial, por la judicatura. No estoy incursa en ninguna causa de despido, por lo menos no tengo conocimiento al respecto y el hecho de que me hayan sustituido en el cargo en donde estaba en comisión de servicio, no significa que usted tenga que replicar una causal que no está prevista en la Ley del Poder Judicial, o me botan o me suspenden pero por una de las causales prevista en la Ley Orgánica del PJ. Que yo sepa no es mi caso. Se cumplió la comisión, se terminó y ya, en la Gaceta Oficial en ningún momento se señalan las causas de la sustitución sino que simplemente dan por terminada la comisión y me sustituyen por otra persona, y le muestro la Gaceta Oficial, la ve y la lee y después me dice bueno doctora es que usted no nos conviene aquí en Caracas, por qué no se va para el estado Táchira como juez, y le respondí, perdóneme, yo soy Juez en Caracas, no en el Táchira, yo gané el concurso para ser juez en Caracas no en el Táchira, y porque además si me voy como juez para el Táchira es como provisoria y allí si ustedes me pueden botar como les dé la gana. Así que le respondo que no, yo soy juez por concurso en Caracas no en otra región. Me dice bueno doctora con ese problema que usted tiene no puede exigir mucho y le pregunté ¿cuál problema tengo yo? ¿ Él que dice que Chacón señala que estaba ligada y conspirando con la DEA, y que sacaba información al gobierno para pasársela luego a este órgano policial, yo le respondo ¿que es lo que usted está insinuando doctor Velásquez?. Bueno doctora no puedo seguir recibiéndola. Le miré y le dije usted no me puede botar así como así, tiene que haber un procedimiento abierto y que yo sepa a mí no se me ha notificado nada, acuérdese que yo soy una juez de la República que obtuve mi cargo por concurso y con muchos años en la carrera judicial. Y me dijo bueno usted piense lo que piense.

Luego revisando mi expediente como juez, me dice, usted tiene nueve (9) años sin vacaciones, vamos a hacer algo, le voy a dar sus nueve meses de vacaciones y así vemos que pasa. Le dije disculpe, yo no puedo estar nueve meses de vacaciones en mi casa sin hacer nada, imagínese comienzo a subirme por las paredes, vamos a hacer una cosa porque no me permite que le dé a los jueces algunas clases de drogas en la escuela de la judicatura, sin pagarme nada extra. Insistió, bueno ya le expliqué es que no nos conviene que usted esté aquí. Y le pregunté, acláreme por favor por qué no les convengo, ya que me está molestando lo que me está diciendo y no logro entenderlo. Y de verdad se me estaba subiendo el Camero, estaba molesta, rabiosa por su actitud. Y me dice, bueno usted sabe lo que dicen. Le replico, lo que dice el ministro Jesse Chacón y le digo ¿usted le cree al ministro Chacón todo lo que dice? porque yo le puedo demostrar que es mentira, lo que pasa es que he investigado a mucha gente del alto gobierno y militares que están involucrados en el tráfico de drogas y se lo he comunicado al Presidente como a José Vicente Rangel, a través de varios informes y le muestro las copias. Ojalá que me abran un juicio para yo presentar mis pruebas, mis documentos y demostrar que son unos delincuentes, ojala lo hicieran. Usted sabe, la verdad de mi sustitución es que ni a Chacón ni a JVR les convengo en ese cargo, porque ellos están conscientes de que yo sé en qué andan todos ellos y por eso quieren poner gente de su confianza, como el señor que me sustituyó que es el cuñado de Jesse Chacón.

Creo que cuando él vio que yo saque los documentos se puso nervioso y me dijo doctora, váyase tranquila vamos a estar en contacto con usted, agarre sus vacaciones y vamos a esperar un tiempo que todo se calme. Me fui molesta y frustrada, luego recibí un oficio en donde se me notificaba que me habían concedido mis vacaciones por el lapso de nueve meses. Sin embargo, antes de cumplirse el tiempo que se me había dado de vacaciones, el 15 de diciembre recibí una llamada a mi casa notificándome que pasara por la DEM porque me iban a jubilar. Me presenté, efectivamente ellos tenían todo preparado, sin embargo las cuentas no coincidían porque faltaban años de servicio, además que faltaban mis títulos académicos que constaban en el expediente administrativo que ellos llevaban y al parecer se habían extraviado. Fui a mi casa les traje copias de lo que faltaba, incluso copia de un ejemplar de mi tesis de la urea. Me dijeron la llamamos para entregarle su cheque, y así se hizo, me entregaron el cheque de mis prestaciones sociales y copia de la resolución mediante la cual se me notificaba que me había sido concedida mi jubilación de pleno derecho; jubilación que se le concede al funcionario público que cumple con todos los requisitos establecidos en la ley.

EL PODER PARTIDISTA

La descomposición del Poder Judicial de la llamada cuarta República es continuidad de la corrupción que ha existido desde tiempos inmemoriales en Venezuela y en el mundo para llegar hoy a una nueva etapa más preocupante como hemos visto y es su vinculación al narcotráfico y al mundo militar. Pero es necesario recordar algunos rasgos de esa corrupción que precedieron a la etapa histórica del chavismo hoy en Venezuela.

-¿En tiempos de AD y COPEI los partidos presionaban y tenían mucho poder, cierto?

-Sí, existían las presiones a quienes se dejaban presionar y los que eran militantes, pero los que éramos como en mi caso independientes no, a mí nunca me presionaron. Una vez a mí me llamó una jueza penal superior y me dijo mira hay una persona así y asao que ingresó en tu tribunal y que por drogas, para que la sueltes, y yo dije no doctora yo no puedo, en ese caso era una cuestión personal, y le dije si usted me da la orden, y me dijo no, yo tampoco puedo, no la podemos soltar. Después ella me llamó y me pidió disculpas, no hay problema.

Tuve casos muy buenos, en el de Antonio Ríos. El presidente Carlos Andrés Pérez me mandó a llamar, fui a La Casona hable con él y me preguntó que tanto está ese señor metido en ese juicio, y le dije señor presidente está muy involucrado. Era el juicio del Banco de los Trabajadores. Y yo le dije señor Presidente ese es un sumario tanto para usted y como para los demás y él se quedó asombrado porque no se imaginó que yo pudiera decirle eso y me dijo usted tiene razón, si está involucrado entonces yo no me meto en eso; usted haga lo que tenga que hacer. El presidente Pérez dejó que siguiera su curso vía judicial la investigación. Otro día me llamó el presidente del Consejo de la Judicatura que era el doctor José Rafael Mendoza me dice que el Presidente Pérez lo había llamado para preguntarle si tenía conocimiento que una juez, la del 2do penal estaba allanando unas oficinas del Banco oficial francés "Paribas", porque el embajador francés lo había llamado para ver si él, podía hacer algo. Entonces doctor Mendoza averigüe si es verdad y por favor me mantiene informado. Mendoza le dijo al Presidente que se iba averiguar qué estaba pasando y que después me comunico con usted Presidente para informarle. Recibo la llamada del magistrado y me pregunta, en un tono muy suave, doctora Camero, ¿es verdad que usted está allanando o va a allanar un Banco Francés, el Paribas? Y le respondí, no lo voy a allanar, lo estoy allanando. ¿Tiene pruebas para eso? Y le conteste sí, y me preguntó ¿suficientes pruebas? Y le conteste, sí tengo suficientes pruebas. Entonces siga haciendo su trabajo, que yo llamo al presidente Pérez y le explico, que hay suficientes pruebas para ello y cerró el teléfono. Este Banco tiene su sede en Lyon- Francia y a raíz del allanamiento que se le hizo aquí en Venezuela, fue cerrado (posteriormente con los años fue nuevamente abierto), por los delitos de blanqueo de dinero (legitimación de capitales), corrupción, fraude, estafas etc. En Venezuela estuvo involucrado en delitos de legitimación de capitales, fraudes y estafas.

LAS TRIBUS

Eran los tiempos de las llamadas tribus en el Poder Judicial, la más conocida era la llamada tribu de David, dirigida por el ya fallecido David Morales Bello.

-¿Cómo funcionaban esas tribus, las relaciones entre los magistrados y el Poder los abogados litigantes, eran más los objetivos políticos que los económicos o viceversa?

- Yo pienso que más que económica eran de carácter político y de amistad personal. Y lo digo porque estos jueces han vivido como yo y como los demás, es decir, de su sueldo, compraron sus casas a través de préstamos con la caja de ahorros del poder judicial, al igual que sus carros, no se les veía mucha riqueza, ni carros blindados etc. Creo que más que todo lo que querían era mantenerse en la actividad política y pudieran ser tomados en cuenta para los ascensos en los cargos, porque eso sí te puedo decir que la política partidista sí influyo mucho en los ascensos en la carrera judicial, más incluso que la amistad personal. Se podía ver como muchas personas tenían que permanecer muchos años en sus cargos para poder ascender, en cambio, para lo que estuvieren vinculado algún partido político (AD y COPEI), eran ascendidos muy rápidamente, algunas veces sin experiencia en la carrera judicial. Eran menos frecuentes pero sí se daba el caso. La diferencia con lo que pasa hoy en la carrera judicial es que la gran mayoría que ascendían ya estaban dentro del Poder Judicial y tenían experiencia como juez, que les ayudaba formar parte de algún partido político era importante en su carrera.

En la actualidad ingresan a la carrera, sin experiencia ni experticia en los cargos y son ascendidos solo por razones políticas y muchos están ocupando cargos de jueces superiores sin ningún tipo de experiencia previa en la magistratura, sus credenciales son ser afectos al gobierno. De igual manera los jueces que se identificaban con algún partido político y eran ascendidos estaban preparados académicamente. Muy diferente a lo que ocurre en la actualidad, que hay una ausencia de credenciales académicas importante y son muy pocos los jueces preparados académicamente y con experiencia en la carrera judicial. En cuanto si para esa época había jueces corruptos, es evidente que sí lo había. Uno que estaba dentro de la carrera judicial, más o menos sabía por distintas fuentes quienes cobraban. Lo que te quiero indicar que no era una práctica generalizada, se sabían o por lo menos se sospechaba quién o quiénes era los "cobradores de peaje", es decir los jueces que cobraban o hacían favores especiales. Había jueces que les gustaba beber, no quiere decir esto que iban borrachos a los tribunales, por lo menos nunca tuve conocimiento de esto, había que les gustaba ser mas sociables que otros, y había (pocas) personas con orientaciones sexuales diferentes al resto de los demás, había personas con trastornos de personalidad en fin eran reducidos pero si existía.

En cuanto a que los partidos políticos presionaban a los jueces para que decidieran de tal o cual manera, puedo decir que en mis años en la carrera judicial a mí no me llamó ningún político para que decidiera de una manera u otra. Y muy poco jueces se llamaban entre sí para pedirte un "favor", te podían indicar mira sé que tienes en tu tribunal x, solo te pido mayor atención si es posible y tenía que ser una persona muy conocida tuya para pedirte fueras más exhaustivo al revisar las actas procesales, aunque parezca mentira los jueces, por lo menos los jueces honestos, nos cuidábamos mucho de eso. Nos daba pánico que alguien dijera fulano me llamó para pedirme un favor o por lo que pudiera suceder después, porque seguro si tu pedías un favor ten la plena seguridad que después te lo iban a pedir a ti, a lo mejor en un caso difícil y de importancia. Los jueces adecos, copeyanos e independientes nos cuidábamos mucho "del qué dirán". Tampoco recuerdo que me hubiere llamado un magistrado para darme órdenes en cuanto a la toma de una decisión judicial, ni que se me enviaran decisiones previamente elaboradas por ellos o ellas. Así no funcionaba ni el Consejo de la Judicatura, ni muchos menos el Tribunal Supremo de Justicia. Hay que ver el respeto que se tenía hacia los magistrados del Supremo, eran gente considerada incólume, sabios, conocedores del derecho, respetados, por ejemplo quién no recuerda con respeto al doctor Román Duque Corredor, la doctora Carmen Beatriz Romero de Encino o el doctor Juvenal Salcedo Cárdenas y unos cuantos más que se me escapan. Muchos de estos magistrados tenían afiliación política pero eran demasiados "jueces" para atropellar a los demás exigiéndoles cuotas políticas más que administración de justicia. Más que aplicación del derecho.

Sí hubo muchas cosas malas durante la democracia, jueces deshonestos pero también honestos, flojos, ignorantes politiqueros entre otros, pero nunca el Poder Judicial estuvo tan devaluado como en este régimen chavista-madurista. Por lo menos teníamos libertad de criterios y actuábamos de acuerdo a la ley y a lo que nos dictaba nuestra conciencia, fuera justo o no. El Poder Judicial no estaba controlado de manera hermética, como si existe en la actualidad. Teníamos nuestros propios criterios jurídicos, un pensamiento libre, libertad para ¿entenderé e volere? es decir para entender y querer, libertad de acción, de discernir por nosotros mismo y no por medio de un libreto otorgado por los magistrados del TSJ.

-Pero sin duda alguna, lo recordamos, estas tribus presionaban con fuerza a los jueces por intereses non sanctos...

- Sí, eran presiones fuertes. Había muchos que formaban parte de esas tribus, llamaban a los jueces no en forma de imposición pero si les dejaban caer que tenían que hacer esto o aquello. Cuando me llamaban por casualidad, que si recuerdo creo que fue solo una vez, les decía lamentándolo mucho esto ya está decidido y los esquivaba. La pelea más grave la tuve con una jueza quien hoy en día es magistrada o ex magistrada, Blanca Rosa Mármol de León, por un caso emblemático denominado "Sierra Carlos" o "Casa de Cambio La Frontera", que conocí en el poder judicial, tuve muchos casos, muchísimos casos muy buenos y de mucho auge periodístico. Pero el caso de la Casa de Cambio la Frontera, fue uno de mayor importancia por tratarse de delitos sobre lavado de dinero. Entre las diversas empresas investigada por lavado de dinero, estaba la casa de cambio Caracas, propiedad de Rafael Alcántara Van Nathan, que en verdad me creo muchos problemas jurídicos y personales, a tal punto que me sentí atormentada, ya que me hacían denuncias, y mis enemigos aprovecharon la oportunidad para inventar y crear cualquier tipo de rumor malicioso, hasta tacharme de ignorante dado que fue el primer caso de lavado de dinero que se hizo en Venezuela. Por ese caso una juez superior en un determinado momento quiso quitarme el expediente. Una parte del expediente ya había sido decidido, se había ordenado en la decisión proseguir la averiguación con respecto a uno de los indiciados, el señor Rafael Alcántara, ya que aún faltaban algunas experticias por efectuar y algunos resultados de experticias ya ordenadas, así como documentos de mucha importancia que debían ser legalizados ante el Consulado venezolano en Miami, para que pudieran surtir efectos legales en el juicio. Mientras se desarrollaba el procedimiento con respectos a los demás procesados y se terminaba de concluir la investigación en relación al Alcántara. Pero un colega abogado me dice que tuviera mucho cuidado porque un Tribunal Superior Penal estaba preparando un oficio para solicitarme le remitiera el expediente que se estaba instruyendo en relación a R.A, ya que el abogado le había introducido un escrito pidiéndole que se avocara al conocimiento de la causa. No me sorprendió para nada esta jugada porque sabía que por detrás había muchísimo dinero y se estaba pagando lo que fuera con tal de que no hubiera una decisión negativa en contra de este señor. El abogado me insistió doctora trate de decidir ese expediente porque se lo van a "sacar". Llamé a PTJ, y le di instrucciones para que de inmediato me remitieran los resultados de las experticias ordenadas. Y demás documentos relacionados con el caso, solicité información a la embajada americana en relación con unos documentos que estábamos esperando y debían ser legalizados en el Consulado venezolano en Miami, y me respondieron que los mismos estarían en Venezuela en un término de 48 horas, pero como sabía que no podía esperar comencé de inmediato a trabajar el expediente para decidirlo, como en efecto lo hice, ya que pasé toda la noche trabajando en el tribunal, con todo el personal hasta que salió la decisión, la cual fue diarizada e igualmente se remitieron los oficios correspondientes a la división de captura, y a los respectivos registros y banco congelándole las cuentas bancaria y bienes muebles e inmuebles. A las 5 de la mañana me fui a mi casa, me bañé, desayuné y me regresé al tribunal y me indicó la secretaria del tribunal, doctora acaba de llegar un oficio del Juzgado Superior Noveno en lo Penal a cargo de la doctora Blanca Rosa Mármol de León pidiéndole el expediente (donde aparecía mencionado el señor Rafael Alcántara), en el estado en que se encuentre. Y por primera vez sentí una gran satisfacción como juez cuando le respondí que me había constituido en juez de causa, para los desconocedores del lenguaje jurídico, es que se le había dictado auto de detención al indiciado y por consiguiente su juez natural para juzgarlo o enjuiciarlo era yo (es decir, el tribunal a mi cargo).

-¿Que pasó con el caso Rafael Alcántara?

-Rafael Alcántara hasta la fecha no ha sido detenido por las autoridades venezolanas, ya que antes de que se le dictara el auto de detención se había fugado al exterior. Por cierto él se presentó ante el Comando Antidrogas de la GN y que a dar la cara y a rendir declaración con su abogado, pero cuando se dio cuenta de que el expediente ya estaba en manos de un juez, en vez de dejarlo detenido le permitieron irse a su casa. Esto ocurrió al inicio de la instrucción del expediente y antes de que su abogado emprendiera una cruzada a su favor. Mucho se comentó sobre la comprensión de las autoridades castrenses con respecto a Alcántara. Sin embargo la cosa no quedó allí, ya que en el mes de diciembre de ese año cuando me ausenté del tribunal para disfrutar mi derecho a vacaciones como todo juez, a los dos días exactamente de haberme ausentado, mi suplente recibió un oficio de un Juzgado Superior 15 en lo Penal, a cargo del juez Arnoldo José Echegaray Salas solicitándole el expediente ya que el abogado había planteado un conflicto de competencia y el decidió remitir el expediente a un tribunal Superior de la jurisdicción del estado Táchira, si mal no recuerdo al Superior Tercero a cargo del juez Luis Contreras Pernía. Este juez superior revocó el auto de detención dictado por el tribunal a mi cargo al señor Alcántara y declaró terminada la averiguación en su contra. El fiscal al tener conocimiento de la decisión del juez superior, apeló de la decisión, es decir anunció Casación y el expediente llegó a la Corte Suprema de Justicia, en donde cazaron el fallo y le ordenaron dictar nuevamente auto de detención por el delito de legitimación de capitales provenientes del delito de tráfico de drogas. Su status legal en los actuales momentos una orden de captura por el delito de legitimación de capitales (lavado de dinero) proveniente del tráfico de drogas. Hace algunos días, sin embargo un periódico local reseñó una noticia en donde indicaba que Rafael Alcántara había sido detenido en el aeropuerto de Buenos Aires, Argentina y que la Corte Suprema de ese país, estaba realizando los trámites para su extradición a Venezuela. Anteriormente se decía que estaba todavía operando en Europa entre Alemania y Francia, habría que esperar si en verdad está detenido en el país sureño. Mientras tanto el delito por el cual se le sigue juicio no prescribe y su peor enemigo en Venezuela, es el mejor operador político del régimen chavista: José Vicente Rangel. En cuanto al juez Contreras Pernía, el Consejo de la Judicatura le abrió un procedimiento por haberse prestado a esa jugada y fue destituido del cargo. El juez Arnoldo Echegaray, cuando entró en vigencia el COPP, fue designado presidente de la Sala 5 de la Corte de Apelaciones de Caracas, cargo del cual fue destituido por la Comisión de Funcionamiento y Restructuración del Sistema Judicial (10 de Octubre del 2000).

-¿Por qué razón usted señala a José Vicente Rangel como el peor enemigo de Rafael Alcántara?

-Es muy sencillo, al principio José Vicente Rangel defendía al señor Rafael Alcántara de todos los delitos que se le imputaban, pero después de la muerte de su yerno Tottesaud, la situación cambió. Tottesaud, era el abogado de confianza de Alcántara. Fue el doctor Tottesaud quien le entregó el dinero al juez Contreras Pernía para que le revocara el auto de detención a Alcántara. Pero después de la muerte del yerno de JVR, tanto él como su familia, acusaron a Alcántara de haber ordenado la muerte del abogado, al parecer ambos estaban involucrados en negocios turbios vinculados al negocio de drogas. Estando yo en CONACUID y JVR en la Cancillería como Ministro, me envió una nota en la cual me pedía por favor que hablara con la DEA, o el FBI, para que detuviera a Rafael Alcántara, que según él, estaba en Europa lavando dinero, entre Alemania y Francia. Allí fue que me enteré donde se encontraba Alcántara, porque ya yo ni me acordaba de él. Por cierto que JVR utilizó en su nota personal, papel con el logotipo de la Cancillería y sello húmedo de la misma.

-*¿Puede explicarme como usted tiene conocimiento de que Totesaud fue la persona que le entregó dinero al juez Pernía para que le revocara el auto de detención a RA?*

-Un día me encontraba en el tribunal trabajando, cuando recibo la llamada telefónica de un colega, que se había graduado de abogado conmigo en la UCV y me dice, oye Mildred necesito hablar contigo, será que me puedes atender. Claro no hay rollo te espero le respondí. Efectivamente el colega va al tribunal y me dice, mira yo acabo de asumir el cargo de juez en el tribunal que era del doctor Luis Contreras Pernía y revisando uno de las gavetas del escritorio me conseguí esto y me enseña una carta escrita a mano en donde Rafael Alcántara le decía al juez Luis Contreras que la persona portadora de esa misiva era el doctor Totesaud, quien le iba hacer entrega del dinero acordado, es decir 4.000 dólares en efectivo. El colega no me quiso entregar el original porque iba al Consejo de la Judicatura a hacer entrega de ella, pero sí tuve una copia por mucho tiempo de la misma; hasta que decidí mandarla al exterior con otros documentos para su mayor reguardo. Una copia de esa carta se la di a José Vicente Rangel quien se dedicaba a atacarme cada vez que instruía un expediente donde él tenía algún interés personal y económico. Se la llevé un domingo a su casa y le di una copia, se quedó sorprendido y me dijo "tú eres una mujer muy peligrosa", y yo le respondí "sí muy peligrosa", pero a partir de allí no se volvió a meter conmigo.

-*Cuénteme de otro caso relevante...*

-El caso Antonio Nager (marzo de 1999) que fue uno de los últimos que conocí, faltando una semana para entregar el tribunal a mi suplente, y asumir la Presidencia de la CONACUID. Se trataba de un comerciante creo de nacionalidad árabe, que fue secuestrado por las inmediaciones de la Lagunita, muy cercano a su casa. Es, o era un señor muy rico y todavía me pregunto por qué este caso llamó tanto la atención al recién estrenado gobierno de Chávez. En ese momento José Vicente Rangel era el ministro de Defensa y el asumió sin competencia legal la defensa e investigación del caso. Y apareció en escena Henry López Sisco, como el negociador oficial. Tanto este caballero como JVR, comienzan la negociación para poner en libertad al señor Nager se dice a la prensa que el señor había sido rescatado por el Gobierno sin que hubiera pagado medio y detienen a varias personas y entre ellas un goajiro y lo presentan a los medios de comunicación como el autor del hecho material.

El expediente llega al tribunal a mi cargo vía distribución y de inmediato cuando comenzamos a revisarlo nos damos cuenta de que faltaban algunos folios y que la foliatura había sido alterada y presentaba tachaduras y enmendaduras. De inmediato después de haberle dado entrada, se oficia a la DISIP, ya que era el cuerpo policial que había instruido el expediente, por cierto otra irregularidad; solicitándole las actas o folios que faltaban y se le dio un término de 24 horas para la remisión de las mismas. Cumplido el lapso se a vuelve oficiar solicitándole nuevamente que remitiera las actas en el término de la distancia. Al cumplirse este nuevo lapso sin que hubiera respuesta del organismo policial, me traslade personalmente a sede de la DISIP, solicitándoles se me hiciera entrega de lo solicitado. Se me hace entrega de varios folios y actas pero de inmediato me doy cuenta que había en un escritorio folios sueltos con la misma numeración del expediente que se notaba habían sido arrancados. Le ordené al funcionario que me hiciera entrega de las mismas, levante un acta dejando constancia de la visita (inspección ocular) y de seguida me regresé al tribunal. Comencé no a instruir el expediente sino a reconstruirlo, ya que no había secuencia en relación a lo actuado y las declaraciones de los presuntos indiciados y testigos eran contradictorias. Al tomar la declaración al presunto autor material del hecho, su versión era totalmente contradictoria a lo afirmado en el expediente. Entre las cosas que recuerdo haberme dicho era que él sí estaba en el secuestro pero quienes habían liderado el mismo, fueron los paramilitares por una deuda por drogas, y que solo querían era asustar al señor para que pagara y que el señor sí había pagado una gran suma de dinero para que lo soltaran y que lo habían detenido a él, y a sus compañeros pero a los Paracos los habían dejado ir. Que él vio cuando los negociadores les entregaron el dinero a ellos, y que además también vio que recibieron dinero los del lado venezolano. Había actas en donde el goajiro había declarado lo mismo que me estaba diciendo a mí, y que casualmente, fueron las que la DISIP no quería remitir al tribunal. Las declaraciones de los otros detenidos coincidían con lo dicho por el guajiro y con otras actas recuperadas. No había tiempo para profundizar en la investigación, pero sabía que había una verdad procesal, es decir la que constaba en autos y una verdad verdadera que no estaba reflejada completamente en el expediente. Me lo decía mi intuición de juez instructora con muchos años de experiencia. El señor Antonio Nager pagó su rescate pero siempre lo negó y el dinero supuestamente se lo dieron a López Sisco, para que se lo entregara a los secuestradores. Pero dicen que quien se quedó realmente con el dinero, 5 millones de dólares, fue José Vicente Rangel y de allí surgió uno de los tantos impasses entre el Gobierno y López Sisco. Lo que hicieron fue negociar con la guerrilla-traficantes de drogas, pero al final no se supo quién o quiénes fueron los beneficiarios. Me quedaron las dudas de qué fue exactamente lo que pasó con este secuestro. Años después alguien conocedor del caso me indicó que todo había sido obra del propio Gobierno y que se trató de un pase de factura contra el señor Nager. Sigo con mis dudas.

CORRUPCIÓN POLICIAL

La llamada Policía Técnica Judicial (PTJ) de la cuarta República, hoy CICPC, tenía prestigio por su eficiencia. Se decía en Venezuela que era uno de los cuerpos técnico policial más adelantados del mundo. Pero había también mucha corrupción, un mal que ha corroído a la humanidad desde sus comienzos

-*¿Había mucha corrupción en la PTJ?*

-Sí, pero se respetaba a los jueces. Ellos podían cobrar dinero mientras instruían un expediente, bien sea desapareciendo o suplantando pruebas, no realizar las experticias necesarias y relacionadas al delito en cuestión o simplemente alterarlas, vale decir, podían obtener dinero no instruyendo bien un expediente de manera tal que al llegar a los tribunales se le diera la libertad al presunto indiciado por falta de pruebas. Todo esto y mucho más, pero si un Tribunal les ordenaba realizar unas diligencias urgentes y necesarias a fin de poder tomar una decisión lo hacían, cumplían su mandato.

La División Técnica de la antigua PTJ, era muy buena y allí estaban los mejores criminalistas y muy pocas veces se prestaban a chanchullos y vagabunderías. Las divisiones donde se prestaban más a corrupción eran la de Robo, Drogas y Delincuencia Organizada. Por ejemplo en la división de Robo, existía un bate de béisbol que le decían el artículo sesenta, tenía reseñado el número y con ese bate le daban a los detenidos cuando se acogían al precepto constitucional de no declarar. La división de Homicidios era la división élite de PTJ, eran todos muy buenos investigadores, no obstante fueron los que más ganaron los cangrejos de oro, que era una especie de orden al mérito por los casos mejores resueltos en el año. Asimismo había comisarías que eran consideradas muy corruptas, o mejor dicho donde imperaba la corrupción, como la de Propatria, El Llanito, Santa Mónica, La Vega entre otras. Los jueces estábamos atentos cuando nos llegaba un expediente de esas comisarías, porque seguro había que reforzar la instrucción. Lo mismo pasaba cuando un expediente venia de las divisiones de Robo, Delincuencia Organizada y Drogas, había que tener cuatro ojos para evitar que nos metieran gato por liebre.

Yo recuerdo un caso, el de los Bonos Ten, que tuve que amenazarlos porque se hacían los locos y no querían mandarme el expediente al tribunal. Se trataban de cien (100) bonos por la cantidad cada uno por Bs. 100.000, pertenecientes al Banco Caracas, que se encontraban en la bóveda del Banco Central de Venezuela y fueron sustraídos. Se armó el gran escándalo y la PTJ, la división contra la delincuencia organizada inició la investigación. Sin embargo, el propietario del Banco Caracas, Bernardo Velutini, introduce un escrito en el tribunal a mi cargo, solicitándome que me avocara al conocimiento del caso (en esa época se podían solicitar avocamiento a los tribunales), ya que Velutini estaba siendo chantajeado tanto por el jefe de la división como por el detective que llevaba el caso, y además temía que se extraviaran parte de los bonos que la PTJ había recabado del Banco Central. De inmediato después de los trámites de ley, le solicité a la PTJ (División. D.ORG), que remitiera el expediente en el estado en que se encontrara. Se libraron varios oficios y la división no respondía, dejé pasar unos días y luego días y luego llamo al comisario José Ramón Lazo Ricardi y le dije "comisario son las 10am si el expediente no está aquí en el tribunal a las 12pm, usted y toda la división contra la delincuencia organizada están arrestados, y le cerré el teléfono". A las 12 y 10 aproximadamente llegó el expediente y el jefe de la división. Sé que fue un acto de mala educación pero era la única forma de imponer respeto. Nunca me subestimaron por ser mujer, pero sí había funcionarios policiales que por el hecho de que el juez fuera mujer pensaban que podían manipularla. Siempre fui muy respetada por los cuerpos policiales venezolanos y me dieron mucho apoyo durante mi gestión como juez penal.

-También se dice que la Policía Técnica Judicial (PTJ) era muy eficiente...

-Yo puedo dar fe de que la antigua PTJ era muy eficiente, pero también había mucha corrupción. Pero la diferencia con la de ahora (CICPC), es que los funcionarios policiales estaban muy bien formados académicamente, no solo porque salían graduados en ciencias policiales, sino porque muchos de ellos hacían cursos en el exterior y no solo en los Estados Unidos sino en otros países, incluso europeos. Eran funcionarios con mucha experticia en sus áreas, y sin ningún tipo de recursos y logística. Funcionarios que trabajaban 48 por 48 horas, sin sueldos y beneficios sociales ajustados a los riesgos que debían de asumir por sus funciones. Muchas veces, cuando me tocaba tomar una decisión en contra de algún funcionario, lo pensaba muchísimo porque sabía de las carencias y necesidades que tenían como funcionario público. Por supuesto no los justificaba, pero tenía siempre presente lo mal pagados que eran para arriesgar tanto como lo hacían. Había de todo: honestos, muy honestos y me tocó trabajar con muchos de ellos, pero también los había extremadamente corruptos y viciosos. Pero había mucha gente talentosa que durante muchos años realizó investigaciones complejas y profundas. Si ellos querían sacar un caso adelante lo hacían, con las uñas, pero lo resolvían como cualquier policía del primer mundo. Pero si tenían interés económico, personal o de cualquier otra índole instruían mal. Y el juez se daba cuenta porque era su trabajo. Yo casi nunca decidí un expediente solo con lo que "traía" de PTJ, lo volvía a instruir íntegro; salvo algunos casos de la división de Homicidios que por lo general llegaban completos, es decir con todas sus experticias y muy bien instruidos. Pero en líneas generales era la PTJ, la policía que por excelencia, mejor instruía y mayor conocimiento jurídico tenía.

CORRUPIÓN JUDICIAL RAMPANTE

Ciertamente y no es nada nuevo en la llamada cuarta República todo el país político estaba inmerso en la corrupción. Y por supuesto el Poder Judicial no escapaba a esa situación. Según la jueza Camero la influencia de los dos grandes partidos AD y COPEI contribuyó de manera determinante en todo el desarrollo del quehacer jurídico. Pero estima también que la corrupción se metió como un gusanito en el cuerpo de muchos venezolanos.

-Había un sector importante de jueces y policías honestos y no obedecían a una línea partidista. ¿Qué es lo que está pasando hoy en día?

-Si había una línea partidista o de otra índole, era para aquellos jueces que estaban alineados. Pero los jueces que éramos independientes no seguíamos ninguna línea, salvo los lineamientos que nos dictara nuestra conciencia y conocimientos jurídicos. Si el juez se imponía e inspiraba respeto nadie era capaz de llamarlo o presionarlo para que hiciera o dejara de hacer. Había división de poderes, y esto se respetaba, tendría que ser una situación muy difícil en la que el juez, pudiera aceptar la injerencia de otros poderes. Pero como te dije la línea era efectiva para aquellos jueces que se dejaban manipular, bien fuera por razones políticas, económicas o de cualquier índole. Me imagino que lo mismo sucedía con los funcionarios de la PTJ; ellos tenían sus funciones muy bien definidas, pero no sé, porque no me consta si eran o no manipulados por razones políticas o económicas. No creo que la orientación política hubiera influenciado las investigaciones que realizaran los técnicos. Posiblemente a otros niveles, es decir, con los directivos del organismo, el ser de un determinado partido pudiera haber influido en la toma u orientación de algún procedimiento policial. Solo recuerdo un caso y sucedió en Maracay con la muerte de la esposa de un editor de un periódico, que decían que habían alterado la escena del crimen por razones políticas. Pero en realidad no conozco los entretelones del caso, solo lo que reseñó la prensa del momento. En líneas generales los jueces no se manejaban con motivos políticos partidistas con la PTJ por lo menos en mi caso. Había respeto de los jueces hacia los funcionarios policiales y viceversa. Yo recuerdo una vez que recibí una llamada en el tribunal, en el cual me alertaban sobre un oficio de la división de captura en donde me notificaban que un enjuiciado había sido trasladado al Reten de Catia. La persona que llamó me dijo que el detenido se encontraba todavía en la división y que le había pagado al comisario para que lo dejara allí. De inmediato llamé al director del retén y le pregunté si había ingresado el detenido y después de un buen rato me contestó que no. De inmediato me trasladé a la división de captura a efectuar una inspección ocular. Llegué como a las 12 y media, el comisario estaba almorzando comencé a revisar las celdas y encontré al detenido. Llamé al director del organismo que para la época era Yánez Pasarella y le notifiqué del caso. El comisario cuando me vio de casualidad no le dio un infarto. Yo supe después, que la persona que me alertó fue un funcionario que no estaba de acuerdo con lo que estaba ocurriendo en la división. Al comisario se le abrió un procedimiento y fue suspendido de su cargo y notifique al Ministerio Público para que solicitara una investigación. Si no hubiera habido gente honesta jamás me hubiera enterado de esto. En conclusión, había respeto hacia la ley, hacia los jueces y hacia las instituciones y sobretodo mucho profesionalismo. Siempre recibí respeto y consideración como juez, las muy poquitas veces que quisieron o pretendieron irrespetarme siempre me impuse y solucionaba el impasse y valió la pena, de allí mi fama de mujer de hierro de fuerte carácter. La política en definitiva, no fue a mi modo de ver un elemento determinante en la búsqueda de la verdad policial, quizás incidió en niveles más altos y en situaciones de verdadero interés partidista o gubernamental

- En tiempos de Lusinchi había mucha influencia de Blanca Ibáñez en todos los sectores y en especial en el Poder Judicial. ¿Cómo lo sintió usted?

-Bueno tenía influencia con los jueces con tendencia adeca y sobre todo sobre aquellos jueces muy identificados con el gobierno del presidente Jaime Lusinchi. Yo tuve una experiencia de la influencia de Blanca Ibáñez no en el poder judicial sino con la policía política, es decir la DISIP. Se trataba de un joven que fue detenido sin haber cometido ningún delito, y sus padres introdujeron un amparo por privación ilegítima de libertad. Se comienza la averiguación se oficia a la DISIP para que informe los motivos de la detención del muchacho, no respondían al oficio, ya se iba a vencer el plazo y llamo al comisario Porfirio Valero y le pregunto cuáles eran los motivos de la detención del ciudadano, y me indica que no podía darle la libertad porque era una orden de la señora Blanca Ibáñez. Le pregunté cuáles eran las razones y me respondió que el joven era el novio de su hija y ella no lo quería y le estaba dando era una lección, un susto. Por supuesto que declaré con lugar el amparo y solicite el ministerio público que estuviera atento a que se cumpliera el mandato del tribunal. También en relación a Blanca Ibáñez, recibí un oficio de la Corte Suprema de Justicia, en donde se me ordenaba realizar una inspección en el Palacio de Miraflores con ocasión a un juicio que se le seguía a esta señora por un delito previsto en la Ley de Salvaguarda al Patrimonio Público. Por cierto que el abogado defensor era Morris Sierralta, quien había solicitado a la Corte, la inspección ocular y que la misma la efectuara el juzgado a mi cargo, algo insólito porque para ese entonces el doctor Sierralta y yo estábamos enemistados, por su forma imponente de solicitar justicia al tribunal con respecto a sus defendidos. Me traslado con la PTJ a realizar la inspección hubo que esperar un día que el presidente Pérez no estuviera en su despacho, porque la inspección comenzaba en la oficina del Presidente y concluía en la que supuestamente ocupaba la señora Ibáñez. La idea era dejar constancia de cuantos metros había desde la oficina ocupada por el Presidente y la de la señora Ibáñez. La razón de todo esto, era que al parecer se acusaba a la señora Ibáñez de oír y participar todos los temas que el presidente Lusinchi discutía y decidía en su despacho. Los resultados de la inspección ocular revelaron la imposibilidad de que esto fuera cierto porque entre una oficina y otra había una cuarentena de metros y la ubicación de la misma dificultaba el escuchar ningún tipo de conversación e incluso ruidos. Concluida la comisión remití al Tribunal Supremo las resultas de la misma, y a las semanas el doctor Sierralta pasó por el despacho a darme las gracias y le dije que yo era una juez y que debía cumplir con lo ordenado por la Corte y solo le pregunté por qué había solicitado que fuera el tribunal a mi cargo que la realizara y me respondió que era la única juez que podía hacerla porque no le temía a Blanca Ibáñez ni se sentía comprometida con ella.

-¿Usted piensa que era Blanca Ibáñez el gran poder detrás del trono?

-Sí, era una mujer intocable, con mucho poder para la época. Tenía varias denuncias y expedientes abiertos y a ninguno se le dio curso. Por ejemplo cuando se vistió de militar hubo denuncias las cuales fueron manipuladas y llegaban a tribunales de tendencia adeca, igual como ocurre hoy en día. Era una mujer con mucho apoyo político, incluso de militares corruptos que como siempre han existido. Se decía en los pasillos de los tribunales que estaba vinculada a miembros de la llamada tribu de David, como alusión a David Morales Bello. Pero como siempre rumores. Yo siempre he pensado que la dichosa tribu de David si actuó o dejó de actuar no tenía que ser por órdenes de Morales Bello y que muchos jueces se valieron del nombre y el prestigio del doctor David Morales Bello para hacer y deshacer, siempre en nombre de él, porque aun después de muerto parecía que actuaban siguiendo presuntamente sus lineamientos. Conocí personalmente al doctor Morales Bello y en varias oportunidades compartimos escenarios dando conferencias sobre drogas, era un gran conocedor de la materia y jamás me pidió ningún favor especial, salvo que leyera libros muy interesantes sobre el desarrollo del tráfico de drogas en Colombia y en América Latina. Era un gran lector e intercambiamos libros siempre sobre drogas, aún conservo su libro titulado "Las drogas contra todos", el cual tuve el honor que me lo dedicara. Sin duda alguna era un gran intelectual.

- La corrupción en los últimos 20 años de la llamada cuarta República se desbordó y AD y COPEI eran los grandes cómplices. ¿Esa es una gran verdad o no?

-Pienso que todo el país político estaba inmerso en la corrupción. Y por supuesto el Poder Judicial no pudo escapar a esa eventualidad. No estoy segura de si la influencia de los dos grandes partidos AD y COPEI contribuyó de manera determinante en todo el desarrollo del quehacer jurídico. No dudo que haya habido una fuerte influencia, pero también la corrupción se metió como un gusanito en el cuerpo de muchos venezolanos. Había mucha gente dentro del Poder Judicial que se valía de su cargo para realizar actividades ilícitas, no era a nombre de un partido, sino por iniciativa propia. Pero sí había muchos otros, que dependían directamente de lo que dijera el partido. Pienso que en muchos casos, era más el deber de lealtad que otra cosa. Esta situación influyó en algunas decisiones de carácter eminentemente políticas, como por ejemplo el caso del señor Claudio Fermín, el cual fue denunciado sobre su dudosa gestión como Alcalde de Caracas. La denuncia específica trataba sobre la destrucción de casi todas las aceras de la ciudad y el dinero que se le entregó para repararlas fue malversado sin que se concluyera la obra.

Las calles quedaron destruidas y no había fondos para repararlas. Se trataba de un delito grave previsto en la ley Orgánica de Salvaguarda del Patrimonio Público. Se comenzó la instrucción del expediente y cuando estaba casi por concluirla, recibí un oficio del Tribunal Superior de Salvaguarda del Patrimonio Público, en donde se me solicitaba la remisión del expediente en el término de la distancia, o sea ya. El tribunal Superior de Salvaguarda declaró terminada la averiguación en su contra. Otro caso similar los de Recadi, conocí varios expedientes que venían directamente del Congreso Nacional, de la Comisión de Contraloría, ya se me había comisionado para la instrucción de estas denuncias. Muchas de estas quedaban en el aire, porque en ese entonces, como ocurre ahora con la Asamblea, el Congreso actuaba como órgano instructor, sin conocimiento y competencia de cómo hacerlo y mucha pruebas quedaban sin evacuarse o simplemente los resultados no eran los esperados. No es lo mismo una investigación de carácter administrativo, que desde el punto de vista jurisdiccional, ya que existen una serie de principios y formalidades legales que solo podemos manejar y conocer los jueces y los tribunales. Los congresistas nunca entendieron, como no entienden ahora los asambleístas, que su investigación es simplemente de carácter administrativo, y no judicial. Por lo general los expedientes venían incompletos y se notaba la improvisación y el manejo de los mismos con razonamientos y documentos basados en hechos políticos y no jurídicos. Muchas fueron las decisiones en donde se dejaban abierta la averiguación o se ordenaba proseguir la averiguación ya que no había suficientes elementos probatorios para dictar una decisión ajustada a derecho, entonces se decía que los jueces se vendían, cuando la realidad es que los expedientes estaban muy mal instruidos y lo que se buscaba era más bien un juicio político. Sin duda alguna fueron días muy difíciles. Por supuesto que la influencia partidista en la administración de justicia, fue totalmente negativa, aunque no todos los jueces estuviéramos alineados a uno u otro partido. AD siempre tuvo más gente dentro del poder judicial, era el partido muy fuerte dentro de la administración de justicia, y quizás por eso tuvo más influencia. El partido COPEI siempre actuó con mayor discreción pero también tenía su gente en el poder judicial. La diferencia con respecto a hoy, es que había jueces que actuábamos de manera independiente y nos dejaban serlos, no éramos presionados ni por los partidos ni por el Consejo de la Judicatura.

LA CAMPAÑA DE JOSÉ VICENTE Y SUS AMIGOS

La jueza Mildred Camero puede considerarse como una de las magistradas del Poder Judicial más atacada por José Vicente Rangel quien en la llamada cuarta República tenía influencia y poder mediático a través de su trabajo periodístico en Televen. Y ese poder aumentó descomunalmente tras la llegada de Hugo Chávez al poder al asumir altas posiciones de poder. Como lo ha contado la jueza Camero, Rangel fue quien junto al general Frank Morgado más trabajó para "sustituirla" de la CONACUID en medio de una gestión que estaba dando buenos resultados.

-*¿Además de presionarla a usted José Vicente Rangel presionada y chantajeaba a otros miembros del Poder Judicial?*

-Rangel presionaba a todos los jueces que estuvieran conociendo de un caso en donde él tuviera un interés, no daba tregua y era sumamente injusto e inquisitivo. Por ejemplo cuando muere Totesaud, él comenzó a presionar a la juez que llevaba el caso para que le dictara auto de detención a Rafael Alcántara, ya que lo acusaba de ser el autor intelectual de la muerte de su yerno. Como no conseguía su objetivo, inició una campaña de desprestigio en contra de la jueza Rosario Monsalve, quien por cierto es una mujer muy seria y honesta, con muchos años dentro de la carrera judicial. Cuando ganó Chávez y lo designan ministro de la Defensa. La arremetida en contra de la juez fue mucho más fuerte, logrando que la misma fuera destituida del Poder Judicial. Por lo que tengo entendido, no había ni ha habido pruebas en el expediente en donde se pudiera vincular directamente a Rafael Alcántara con la muerte del abogado.

-¿Usted piensa que JVR hizo una campaña orquestada junto a Gastón Guisantes y el fallecido Efraín de la Cerda en su contra?

-Sí, fue durante mucho tiempo una campaña de desprestigio y prácticamente de acoso, ya que debido a los muchos casos que llegaban al tribunal, sobre todo de corrupción, al parecer siempre él tenía algún interés. Parecía que estuviera pendiente de qué casos estaba conociendo Mildred Camero, para él comenzar su campaña pero siempre a favor del detenido o de los investigados. Otro caso que llamó su atención fue el de Arturo Bravo Amado un estafador que se había apropiado de casi todos los terrenos de El Junquito y extorsionaba a las chiveras de la zona, y si no les respondían, se presentaba con ayuda de algunos jueces civiles a practicar embargos con documentos forjados e inexistentes.

Bravo Amado ordenó un atentado en el cual resultamos seriamente lesionadas mis hermanas, la suegra de una de ellas y mi persona. Aunque un tribunal dejó abierta la averiguación, yo estoy más que convencida que fue por iniciativa de este estafador, ya que después que me recuperé hice algunas averiguaciones y tuve conocimiento de que el accidente de tránsito en cuestión, fue obra de él. Para esa época el abogado Bravo Amado era un auténtico mafioso temido por los jueces de la jurisdicción civil, aunque contaba con algunos aliados. No solo era el rey de los atentados, sino del chantaje y extorsión, nadie le había podido meter preso aun cuando tenía muchísimas denuncias en los tribunales penales. Tuve la honra de encarcelarlo, aunque no me correspondió dictarle el auto de detención, sino solo hacer efectiva su detención, de allí su arremetida en mi contra. Bueno, el señor José Vicente Rangel era uno de los más asiduos defensores de este mafioso de los ochenta. En cuanto a Gastón Guisantes y Efraín de la Cerda, estos eran otros mercenarios de las noticias, sobre todo de sucesos y del mundo judicial. Todo comenzó a finales del año 1988 con una investigación en donde se mencionaba una persona conocida del periodista Efraín de la Cerda, incluso al profundizar la investigación se mencionaba de manera reiterada su nombre. Ya el periodista había iniciado su campaña en mi contra y cuando fue citado al tribunal, arreció sus denuncias. El señor Guisantes aparece en escena en defensa de su colega y entre los dos y con el apoyo de JVR. La situación se tornó muy difícil para mí, porque me hicieron muchas denuncias públicas y ante el tribunal disciplinario del Consejo de la Judicatura, solicitando mi destitución. Afortunadamente ninguna prosperó, por el contrario, salieron ellos muy perjudicados y quedaron muy desprestigiados ante su gremio y sus lectores.

Durante mi gestión como juez, no fue nada fácil y conté con muchos enemigos, porque realicé miles de investigaciones en materia de salvaguarda al patrimonio público, o de drogas, delitos donde se mueve mucho dinero, influencias de todo tipo, lo que me valió ser el blanco de mercenarios como estos señores. Ahora quiero aclarar que parte de mi trabajo se debió a que el tribunal a mi cargo, según el decreto de creación del mismo, fue creado valga la redundancia, para el conocimiento de causas graves y complejas. Nada de lo que llegaba a ese tribunal era fácil ni sencillo, por eso debía estar a la altura de los objetivos que justificaron su creación.

CON JAIME LUSINCHI Y LUIS HERRERA CAMPINS

-¿Qué tipo de acercamiento tuvo con los Presidentes Jaime Lusinchi y Luis Herrera Campins?

-Con el presidente Lusinchi no tuve ningún acercamiento, de hecho no lo conocí personalmente. Pero con el presidente Herrera sí, lo conocí y hablé personalmente con él, en una visita que hizo a Margarita. Él estaba de visita en el estado, y en un acto oficial en la Gobernación fuimos presentados y se me quedó mirando fijamente y me dijo ¿usted no es de aquí, verdad doctora? Yo le contesté no Presidente, soy de Caracas ¿por qué? Y me respondió porque está muy bien vestida. Con quien tuve más contacto fue con el presidente CAP, sobre todo por algunos casos, en donde aparecían involucrados gente de su partido. Pero siempre fue muy correcto y nunca me presionó para que decidiera de una manera u otra; por el contrario siempre me indicó que decidiera de acuerdo a lo que se desprendiera de las actas procesales.

-Déme un nombre de uno de los dirigentes del chavismo hoy en el gobierno que estuvo en su lista de investigados o procesados durante su gestión como juez penal de la República...

-Bueno el tribunal a mi cargo, investigó en su oportunidad a muchos personajes que hoy forman filas del régimen chavista, y entre ellos tenemos al señor Aristóbulo Istúriz, entre 1996 y 1997 quien para esa época fue dirigente sindical del MEP y después alcalde del Municipio Libertador. Al profesor Istúriz se le investigó por uno de los delitos previstos y sancionados en la ley Orgánica de Salvaguarda al Patrimonio Público. La denuncia versaba sobre un supuesto sobreprecio en la elaboración y edición de varios textos escolares, que debían ser distribuidos a través de una Fundación a unas escuelas municipales, que dependían de la Alcaldía. Los libros no aparecieron como tampoco las facturas ni órdenes de pago ya que las mismas desaparecieron de manera misteriosa. Istúriz alegaba que el problema había sido en la imprenta y no en la Alcaldía, pero resulta que la imprenta al parecer dependía de la Alcaldía. No aparecían los reales ni tampoco los libros, pero lo que sí estaba claro es que la partida había sido aprobada para la elaboración de los textos escolares. La investigación se demoró varios meses y como había que realizar unas experticias se comisionó a PTJ. Al final se dejó abierta la averiguación.

-¿Alguien más?

-Otro de los personajes del actual régimen que investigó el tribunal, fue el hoy diputado Freddy Alirio Bernal, quien estuvo involucrado en la desaparición de varias armas y fusiles del parque de armas de la Policía Metropolitana. La denuncia se fundamentaba en que Bernal se había apoderado de dichas armas las cuales fueron utilizadas en el golpe del 27 de noviembre del 92. Se comenzó la instrucción del expediente, Bernal estaba detenido en la DISIP, que al parecer era como su segunda casa, porque pasaba más tiempo allí que en su propio hogar. Yo misma le tomé la declaración a él, como a otros funcionarios policiales sus compañeros del grupo ZETA. Se comenzaron a realizar varias diligencias en el expediente entre ellas una inspección ocular al Parque de Armas de la Institución Policial. Mi sorpresa fue que al llegar al parque de armas acompañados de expertos de la PTJ, todas las armas que habían sido denunciadas como desaparecidas por el director de la policía, se encontraban en su sitio. Los expertos de la PTJ revisaron y compararon cuidadosamente los seriales, calibres de las armas que fueron denunciadas como desaparecidas y que se encontraban en ese momento en la institución y todas coincidían con las que supuestamente habían sido robadas. Es decir, confirmaba lo que alegaba Bernal que la denuncia era falsa y que el general Jesús Rafael Caballero, director de la Policía Metropolitana, lo que quería era salir de él, y que no podía hacerlo porque sabía que generaría un descontento entre sus compañeros. Antes de decidir, me senté hablar con el General Rafael Rivas Ostos director de la DISIP y me indicó que él sabía que Bernal estaba metido en algo, que había participado en el golpe en contra del presidente Pérez, pero que tenía el apoyo de muchos oficiales y compañeros de la institución policial. Nunca quedé muy convencida de que él no hubiera tenido algún ningún tipo de participación en el segundo golpe. No concluí la investigación sino que ordené dejarla abierta. Bernal tuvo muchos meses en presentación ante el Tribunal y durante ese tiempo estuvo detenido varias veces en la DISIP, por ocasionar y crear disturbios en contra del gobierno nacional.

LA PASIÓN POR ENFRENTAR EL MUNDO DE LAS DROGAS

Los relatos de la jueza Mildred Camero nos ubican en el mundo de las leyes donde se avocó a diversos casos que llegaron a sus manos y en especial casos de envergadura, fuertes, que de alguna manera la van conduciendo hacia lo que sería su accionar definitivo en la lucha frontal contra el narcotráfico. En el Poder Judicial manejó diversos delitos relacionados con el mundo de las drogas y toda la tragedia inmersa que implica ese mundo despierta su interés por conocerlo de cerca.

-Sin duda usted comenzó a sentir el duro impacto de las drogas en la sociedad antes de llegar la CONACUID ...

-Sí claro, para esa época yo me desempeñaba como juez penal en Caracas, con competencia en drogas. Pero en realidad fue a través del caso del Cartel de Cali (1992-1993), y de otros casos similares que aprendí cómo se maneja el mundo de las drogas. Cómo funcionaban los carteles o grupos, su estructuras, su logística, sus desplazamientos territoriales. Aprendí igualmente, a diferenciar y reconocer el Cartel de Cali del de Medellín, no solo con respecto a cómo operaban; sino cómo era por ejemplo la presentación de los empaques de droga de ambas organizaciones, (lazos rojos y amarillos), las características de la droga, la calidad de las mismas, lo relativo a la pureza, su composición química, sus orígenes, el proceso de elaboración etc.

El Cartel de Cali estaba formado por gente de mucho dinero y poder político, mientras el de Medellín, por gente de menos recursos, educación y poder político. De allí la necesidad de Pablo Escobar, el tristemente célebre fallecido jefe del Cartel del Medellín, de lograr una diputación regional, porque sabía que era uno de los medios necesarios para poder operar. Las personas que operaban en Venezuela, tenían un alto nivel económico en Colombia, como por ejemplos los hermanos Nieto (Carlos y Gustavo), quienes eran dueño de un holding de empresas, de haciendas y de mucho ganado heredados de sus padres y abuelos. Pero sin duda alguna este y otros casos dejaron un gran aprendizaje en mí, como instructora e investigadora en el área de la represión en drogas. La CONACUID vino a complementar esos conocimientos adquiridos a través del ejercicio y la práctica profesional como juez, además de darme la visión internacional del problema que no tenía y que sin duda alguna representaba la otra cara de la moneda.

-Ese grupo que usted señala como un brazo del Cartel de Cali, que operaba en Venezuela, ¿además de traficar con drogas, se dedicaba a legitimar capitales (lavar dinero)? Déme por favor un ejemplo...

-Esta organización no solo traficaba con cocaína y marihuana, sino que ocasionalmente también lo hacía con heroína. Pero por supuesto que también se dedicaban a legitimar capitales y lo hacían a través de diferentes formas. El dinero obtenido como producto de la venta y comercialización de la droga, era repatriado utilizando para ellos aparatos eléctricos, como lavadora, microondas, equipos de sonido etc. Los dólares eran introducidos en los motores de los aparatos eléctricos, contaban con empresas importadoras de línea blanca, por eso se le facilitaba el ingreso al país. También utilizaban lo que llaman "el pitufeo" para traer los dólares, es decir por medios de pequeñas cantidades de dinero que eran depositados en bancos extranjeros y luego transferidos a bancos filiales venezolanos. Un ejemplo es que el dinero era depositado en un banco afiliado a un banco venezolano en el extranjero, como el caso del banco latino en Curazao, el móvil era que solicitaban un préstamo en el mismo banco u otro en Venezuela y daban como garantía el dinero depositado en el extranjero. Luego no pagaban el préstamo y el banco se quedaba con el dinero dado en garantía, obtenido mediante la comercialización y venta de la droga. Otras veces, solo remitían pequeñas remesas o encomiendas de dinero a su país de origen a través de empresas dedicadas a este tipo de operaciones. El dinero era enviado en pequeñas cantidades o remesas de dinero como una supuesta ayuda a sus familiares

-*¿Qué significa pitufeo?*

-El pitufeo consiste en que diferentes personas van depositando pequeñas cantidades de dinero diariamente en bancos u empresas dedicadas al envió de remesas, para luego ser enviados a distintos destinos. Pero esos dólares que ingresaban en Venezuela, no se quedaban aquí, sino que se hacia la conversión de dólares a bolívares y luego de bolívares a pesos para poder ser depositados en un banco en Colombia. Para esa época en Colombia había una Ley que prohibía los depósitos en dólares precisamente para evitar operaciones de lavado de dinero. Todo esto ocurría en la época de los ochenta y noventa, antes de Chávez. Y un dato interesante estas organizaciones eran dirigidas y operadas por ciudadanos de nacionalidad colombiana, los venezolanos actuaban como simples peones. Sin embargo, la justicia funcionaba, porque había división de poderes y mal que bien se veían los resultados. Una de las cosas buena que me quedaron de esa época, es que las investigaciones en drogas deben hacerse de manera integral, sin prescindir de ningún detalle porque todo absolutamente todo es importante, no descartar sino se está suficientemente seguro que tal o cual documento o testigos no es importante para la investigación. Por el contrario, los pequeños detalles son lo que generalmente te llevan al resultado final y son los que te definen muchas veces el giro de una investigación.

-¿Por qué le interesó el mundo de las drogas?

- Durante mi gestión como juez siempre mantuve esa inclinación por conocer este mundo. La primera experiencia a la cual me enfrenté fue cuando estudiaba en Roma-Italia y vi como una joven estudiante murió por una sobredosis de heroína en plena estación Termini (Estación Central del Metro de la ciudad). Esa situación produjo en mí un gran desconcierto y me empecé a preguntar ¿Cuál dañino podría ser consumir drogas hasta el punto de llevar a una persona hasta la muerte? Después de este episodio, murió un compañero de estudio de la misma Universidad (La Sapienza) de Roma, de sida por el uso de intercambio de jeringa, igualmente por consumo de heroína. El impacto fue muy grande, y por eso en mi tesis de grado, tengo un capítulo sobre la drogadicción y sus consecuencias. Es decir que al principio me volqué a investigar la parte relativa a la adicción al consumo de las drogas y el impacto del mismo en el ser humano, en la familia y en la sociedad. En esos momentos para mí era más importante conocer la trascendencia del consumo de drogas en una sociedad, que las razones que implicaba el tráfico de drogas en un país. Ya como juez penal que comienzo a lidiar con el delito de "tráfico de drogas", mi interés fue mayor porque no se trataba solamente de las víctimas de ese delito; sino ya por el delito en sí, es decir, la importancia y trascendencia en el desarrollo negativo de un país que podía generar este grave delito. Y empecé a investigar cómo operaban estos delincuentes, cómo se organizaban, cómo se producía, elaboraba y distribuía la droga, modus operandi, el manejo de las rutas, de la carga, implementación de las vías aéreas, terrestre, marítima, características de los empaques, el perfil de los traficantes etc.

Empecé a realizar, cursos, seminarios, talleres y a leer literatura referente al tema. Mi preparación no solo fue en Venezuela, sino en el exterior (EU-Quántico) Francia, Inglaterra, Italia, España, Portugal, Alemania etc.) Sin embargo hubo dos casos que me marcaron como juez, porque pude ver muy de cerca cómo operaba ciertamente un cartel o grupo de traficantes de drogas y como se ejecutaban o podían realizarse operaciones de lavado de dinero. El primero fue el llamado caso Cartel de Cali también conocido como caso "Conar", que era un brazo de ese famoso cartel colombiano, que estaba operando en Venezuela. Se trataba de una organización bien estructurada, que había tomado todo el país. Empresas y Fábricas instaladas físicamente y de maletín: como casas de cambio, de transporte, de envio de remesas y encomiendas, de vehículos de carga pesada, línea blanca, inmobiliarias etc, y todo absolutamente todo operaba sin ningún tipo de restricciones legales. Este grupo respondía a una estructura jerárquica lineal, casi militarizada, adecuada a los estándares utilizados por los carteles de la época. El jefe o capo aquí en Venezuela, se hacía llamar Jairo Echeverría, una de sus múltiples identidades. Pero su verdadero nombre era Luis Murcia Sierra, colombiano natal de la ciudad de Cali, y mano derecha de los hermanos Ochoa y de los Rodríguez Gacha. Ha sido uno de los casos más completos e interesante que he investigado en mi vida, en materia de tráfico de drogas y legitimación de capitales, más de año y medio duró la investigación para poder desenredar la madeja, debido a la multiplicidad de empresas y complejidad de las operaciones que realizaban dentro y fuera del país. Tuve la ayuda del Gobierno de los Estados Unidos.

El segundo caso, se le denomino Operación Sierra Carlos o Casa de cambio La Frontera un caso sumamente delicado ya que el móvil era lavar dinero a través cambio de divisa o dólares americanos. Por lo complicado del caso, tuve la ayuda de un fiscal especialista en lavado de dinero, así como de la Fiscal del Estado de Florida la señora Janet Reno (quien después fue nombrada por el Presidente Clinton, como Fiscal General en los Estados Unidos), y por supuesto de los expertos de la DEA, quienes me asesoraron en el manejo de documentos y cómo descifrar el tipo de estructura y plataformas utilizadas por la organización para operar dentro y fuera del país; así, como la multiplicidad de sus funciones en cada tipo de actividades desplegadas como grupo u organizaciones comerciales. La primera de estas investigación la llevé a cabo además con el apoyo logístico de la Guardia Nacional (Comando Antidrogas de la GN) a cargo del coronel Jairo Coronel, un oficial muy talentoso, honesto e investigador nato por naturaleza, de las incidencias del tráfico drogas en nuestro país y con la división de drogas de la PTJ. Con este caso aprendí a instruir expedientes de drogas y prácticamente me gané la fama de experta en drogas.

Quiero señalar que fue una investigación muy compleja en donde me tuve que relacionar con autoridades policiales del vecino país como el general Roso José Serrano (mi amigo personal), el general Oscar Naranjo, y otro más que no me acuerdo pero que colaboraron conmigo desde el país neogranadino. Colombia estuvo siempre pendiente de la investigación que se llevaba en Venezuela porque a ellos les interesaba y por eso estuvieron muy atentos del desarrollo de la misma. Incluso los abogados de nacionalidad colombiana de Luis Murcia Sierra, presentaron un documento notariado (partida de defunción) en donde se dejaba constancia del fallecimiento de este señor, sin embargo a las autoridades colombianas pudieron demostrar que era falsa, no había habido ningún accidente en donde hubiera fallecido una persona con ese nombre, en el lugar en donde el documento señalaba que había ocurrido, ni en la fecha indicada. Tampoco la partida de defunción fue expedida por ninguna notaría o registro y los sellos era falsos. Se pudo descubrir la falsedad gracias a la gestión del General Rosso Serrano. Por cierto la última vez que vi al General fue en Viena, durante el desarrollo de una de las reuniones Anuales de la JIFE (Junta Internacional de Fiscalización de estupefacientes) en donde cumplía compromisos diplomáticos ya que era el embajador de Colombia ante ese organismo multilateral. El caso tuvo una gran trascendencia también a nivel internacional, yo estuve en una Corte en Manhattan rindiendo declaración en relación a este caso. Y siendo Presidenta de la CONACUID, en una de mis visitas oficiales al reino de Holanda y los Países Bajos, la policía local estaba muy interesada en reunirse conmigo para hablar sobre el caso Conar (en alusión a una de las empresas de este grupo) como lo conocían ellos, dado que el señor Murcia Sierra antes de que se le dictara el auto de detención en Venezuela, se fugó al exterior y al parecer después de cierto tiempo de estar circulando por Europa decidió radicarse en este país. Murcia Sierra se encontraba detenido, cumpliendo pena en una cárcel en La Haya, y ellos estaban muy interesados de acumular todas las causas que tuviera este personaje con el fin de no darle la libertad que estaba próxima. Ha sido uno de los casos más interesante que me tocó conocer y decidir, porque había cualquier cantidad de delitos. Además de los tradicionales, los derivados del tráfico de drogas, y representó una escuela, un aprendizaje en la materia para mí, pero sobre todo un reto personal y profesional.

Con respecto al segundo caso, el de la Casa de Cambio La Frontera, también denominado Operación Sierra Carlos, como lo señale anteriormente, fue reto profesional porque era la primera vez que se investigaba en Venezuela un caso sobre el delito de lavado de dinero, hoy conocido como legitimación de capitales en nuestro país, de acuerdo a nuestra legislación al respecto. Me tarde un tiempo realizar esta investigación que la hice con el apoyo y la logística del Comando Antidrogas de la Guardia Nacional. De hecho se improviso un salón en un galpón del aeropuerto de la Carlota y allí con los expertos venezolanos de la Guardia y los expertos de la DEA con el apoyo de un fiscal de los Estados Unidos pudimos construir el caso, sus vertientes, sus estructuras y sobretodo su modus operandi. Se trataba de un Holding de empresas legalmente constituidas y coordinadas entre sí que lograron legitimar por los menos dos mil millones de dólares provenientes del tráfico de drogas. Personajes como John Jairo Ospina, Rafael Alcántara Van Nathan, Sinforoso Caballero y Avelino Díaz Rey, realizaron grandes movimientos de dinero a través de empresas del Holding, pero provenientes de actividades no confesables en los libros contables, sino de actividades provenientes del tráfico de drogas y que utilizaban el holding como fachada para lavar o legitimar capitales.

Tanto el caso del Cartel de Cali, conocido también como el caso Conar (90 al 93) como el Caso Operación Sierra Carlos, también conocido como el Caso de la Casa de Cambio La Frontera (agosto del 94), han sido los mayores casos sobre tráfico de drogas y legitimación de capitales investigado e instruido en el país. De ambos casos aprendí lo que se sobre drogas y legitimación de capitales y a su vez ambos casos han sido los mayores logros profesionales de mi carrera como Juez Penal

-Se involucró con pasión en investigar el problema de las drogas en Venezuela y Colombia...

-Debo confesar que siento una especial atracción por investigar todo este mundo de las drogas y sus consecuencias. A medida que he realizado algunas investigaciones y que me he ido capacitando en el tema, la pasión por saber más ha ido creciendo. Al principio me llamó mucho la atención cómo se iban sucediendo los hechos en Colombia y después cómo se fueron dando las cosas en nuestro país. Por eso el caso del cartel de Cali, marcó un antes y un después. Nosotros los venezolanos estábamos convencidos que el "problema" solo estaba ocurriendo en Colombia y que Venezuela era simplemente una vía escogida y obligatoria para trasladar la drogas por su cercanía con Venezuela. Pero el caso del Cartel de Cali como el de la casa de cambio La Frontera, me dieron otra visión de lo que verdaderamente está ocurriendo y estaba muy próximo a ocurrir en Venezuela, era incipiente la penetración de estos grupos, pero estaba comenzando y todavía no había agarrado cuerpo, como sí es el caso en la actualidad. Afortunadamente se pudo "desmantelar" toda o por los menos mas del 90%

de estas organizaciones. Los involucrados cumplieron pena y hasta algunos fallecieron durante la misma. Se contó con el apoyo de nuestros cuerpos de policías abocados al caso, funcionó la cooperación internacional. Es así como funcionan las cosas, es así como podemos hablar de que tenemos y estamos realizando una lucha frontal contra el tráfico de drogas en el país. La idea no es solamente decomisar la droga que por cierto, en el caso de Cali la hubo, la cuestión es que además del decomiso, se detengan a los implicados, se le someta a juicio y se trate por todos los medios de desmantelar la organización, esa es la verdadera cruzada, porque sin esto no sucede así, no hemos hecho nada. Por ello hay que cambiar la mentalidad de los investigadores y juzgadores a través de la preparación sobre la materia, porque nada de lo que hagamos o dejemos de hacer será suficiente para salir de este "problema", por denominarlo de alguna manera, que comenzó a corroer a la sociedad venezolana, corrompiendo no solo a nuestras Fuerzas Armadas y cuerpos policiales; sino también a nuestros políticos y empresarios. Sin que aún no tengamos idea de cuántos de nuestros niños y jóvenes estén ya experimentando en el campo de la adicción, y con el agravante que no tenemos las herramientas ni las infraestructuras para enfrentarlo y medianamente tratarlo ni asumirlo con moderación y experticia.

Mi experiencia como juez y mi pasantía en la CONACUID, me dio las herramientas necesarias para ver el problema de las drogas, posiblemente diferente a como las puedan apreciar el resto de los venezolanos. Y no exagero cuando afirmo que este problema se le fue de las manos al Gobierno, cuando acabe todo esta locura del socialismo del siglo XXI, los venezolanos tendremos que tomar el toro por los cuernos y entonces decidir qué queremos, un país como la Colombia de ayer y de hoy con guerrilla y drogas, o una Venezuela en donde exista la cordura, donde podamos vivir en paz, en donde nuestro niños y jóvenes tengan una vida sana, con valores, con estudio y en donde las drogas sean un fenómeno irrelevante y pasajero de fácil manejo y solución, por el Estado; y en donde se creen las estructuras para el diseño de una verdadera política para la prevención y el control de las drogas ilícitas en el país.

-¿Quién le advierte que el tráfico de drogas está penetrando con fuerza en el país?

- Durante mi gestión como juez que investigué muchos casos de drogas, así como cuando estuve en la CONACUID y me di cuenta como había penetrado el tráfico y consumo de drogas en Venezuela. Este es un delito que para poder operar debe moverse en la esfera internacional, es un delito globalizado, y por ende por más que no tengas conocimiento de que es lo que está sucediendo en tu país, la comunidad internacional te lo hace ver y sentir. Un ejemplo, recién llegada a la CONACUID, participé en una reunión en Bruselas auspiciada por la Unión Europea y el Plan Nacional de España, y en ella el embajador colombiano ante ese Organismo, hizo una serie de acusaciones graves sobre Venezuela. Colombia decía tener pruebas como desde nuestro país, se estaban desviando (traficando) químicos con el fin de elaborar cocaína y heroína. Para mí fue un golpe tremendo porque no tenía conocimiento de ello, y porque además no sabía nada absolutamente nada sobre los químicos. A partir de ese momento no hubo literatura sobre esa materia que no leí, me reuní con la división de químicos de la PTJ, con la Asoquim (Asociación de Químicos), con los expertos de la DEA y tuve la suerte de ser invitada por los alemanes a un seminario que me sirvió muchísimo no solo por el aprendizaje en el tema, sino de conocer al señor Hans Bayer uno de los más reconocidos expertos en la materia en Europa y en los Estados Unidos. El señor Bayer viajó a Venezuela y nos asesoró para la elaboración de una ley de químicos, porque aunque parezca imposible, en este país no existía una ley que regulara la materia. La ley fue aprobada en la Asamblea tal y como salió de la CONACUID, el único percance, es que fue incluida en el mismo texto de la Ley de drogas. En fin, mi estadía en la Comisión me dio una clara visión de cómo estaba el problema de las drogas en Venezuela y su connotación dentro de la Comunidad Internacional.

-*¿Qué habría que hacer para enfrentar en Venezuela un problema tan delicado como este?*

-Creo que básicamente el diseño de unas políticas públicas sobre la materia de drogas. El estado venezolano ha sido muy renuente en establecer una política criminal y no es desde ahora, sino desde siempre. Durante la democracia fue siempre uno de los temas más criticado por los venezolanos, es decir: La falta de una verdadera y eficaz Política Criminal.

Hoy con casi 15 años de la llamada Revolución chavista-madurista, la situación se ha agravado. No solo no existe una política criminal, sino que por supuesto, tampoco existe una política estructurada en materia de drogas y el único organismo oficial creado para ello como fue la Comisión Nacional Contra el Uso Ilícito de las Drogas (CONACUID), fue destruido y sustituido por un "parapeto", llamado Oficina Nacional Antidrogas (ONA), que se asemeja más a un comando policial, ya que actúa como tal, y no como un organismo hacedor de las políticas públicas en materia de drogas. Es decir, un organismo encargado de diseñar, planificar las políticas públicas, y estrategias del Estado contra la producción, comercialización, tráfico y el consumo ilícito de las drogas, Es decir, planificar las políticas públicas y estrategias del Gobierno Nacional, en el área de control, fiscalización, represión (interdicción), prevención, tratamiento, rehabilitación, reincorporación social y relaciones internacionales. Y no ser un simple ejecutor de tus propias estrategias represivas actuando como un órgano policial y no como un organismo generador de políticas públicas integrales en la materia. Cuando no hay una planificación de las políticas y de las estrategias a implementar, lo que se hace es improvisar y los resultados son nefastos.

La droga debe ser una política de estado y no solo de gobierno. El estado debe de establecer cuáles son sus prioridades dentro de la llamada políticas de seguridad. Es evidente que la defensa y seguridad de sus conciudadanos esta dentro esas políticas. Así como el tema de las drogas. Pues bien es deber del estado diseñar las políticas necesarias para abordar el tema de manera integral. No dejar que se presente el problema para abordarlo, que es lo que ha sucedido en el país en los últimos años.

Administración por crisis ha sido el lema de este Gobierno, más que ninguno que los anteriores. Este gobierno se acostumbró a entrar, conocer, o mejor dicho a medio conocer el problema cuando se presenta la crisis, a lo que decimos a poner paños caliente y superada la crisis, o medio resuelto el problema, ya se olvidan del mismo. En el caso de la lucha contra las drogas, ni siquiera eso, ya que supuestamente decomisar algunos alijos de drogas, detener y extraditar a uno que a otro jíbaro, o de vez en cuando "uno de los más buscados por Colombia o los Estados Unidos", anunciar que se privó de libertad a unos cuantos microtraficantes y a derribar avionetas y decir no a las drogas o que está encarando la lucha contra las drogas con algunas actividades deportivas o educativas, ya el problemas de las drogas está resuelto.

En los actuales momentos resultaría muy difícil para mí diseñar políticas para abordar el tema de la lucha contra las drogas, porque evidentemente yo creo conocer el problema, pero no sé hasta dónde es su profundidad. Sé que hay un fuerte grupo de nuestros componentes de la FAN y de nuestras policías involucradas en el negocio de las drogas. Sin embargo no sabemos el grado de su compromiso o involucramiento, esto tenemos que averiguarlo a través del desarrollo de un proceso de inteligencia. Con respecto al problema del consumo en el país, es necesario efectuar un estudio epidemiológico a nivel nacional para tener una idea de cómo está la adicción de las drogas en nuestra sociedad. Solo así, podremos diseñar una política sobre el tráfico y consumo de drogas en el país, fundamentados en realidades, es decir elaborar un Plan Estratégico Situacional que nos diga cómo es la realidad y la profundidad del problema de las drogas en Venezuela, pues diseñar un plan normativo sin especificar las realidades existentes en los actuales momentos, sería más que un fracaso una aventura. Son casi 15 años con un gobierno totalmente irresponsable inepto, ineficaz, corrupto e ignorante de casi todas sus obligaciones, en donde las palabras planificar y políticas públicas no han existido, no se conocen. Por tales razones, es hoy más difícil afrontar el problema, que en años anteriores y con gobiernos anteriores. Si no hacemos un trabajo de inteligencia, ni no nos valemos de los recursos científicos de medición para lograr tener una idea realista del problema drogas en el país; cualquier intento que hagamos sobre planificar políticas públicas en la materia no tendrá buenos resultados y seremos el hazmerreír de la comunidad internacional, que tiene ya algunos años solicitando y clamando por que Venezuela se haga eco del apoyo de la cooperación internacional para poder abordar con seriedad un tema tan controversial como es la lucha contra las drogas

-¿Alguna reflexión final?

-Sí, durante más de 15 años el país ha estado inmerso en una diatriba política, dejándose de un lado muchos temas de interés nacional.

En los últimos años hemos comenzado a hablar de la inseguridad como uno de los temas de mayor preocupación para los venezolanos. Sin embargo, cuando se habla de la inseguridad, no incluimos el problema de las drogas como uno de los hechos generadores de la misma. Por el contrario, lo consideramos como un hecho aislado y sin ninguna relación con la inseguridad. De aquí que el tema de la inseguridad sea la consecuencia o en otras palabras, que solo se concrete con la producción de delitos comunes, así como por la falta de controles represivos y preventivos de parte del Estado. Las drogas son un fenómeno aparte, producto de una situación coyuntural (cercanía con Colombia), que nada tiene que ver con la inseguridad. Pues bien, esta visión limitada y restringida del "problema", ha permitido que buena parte de nuestras Fuerzas Armadas y cuerpos policiales haya sido penetrada por el tráfico de drogas, dando lugar a un verdadero estado paralelo, con una economía paralela, que mueve y maneja todo el poder del estado, sin que los venezolanos nos hayamos percatado y muy especialmente la oposición política, de la gravedad de dicho problema.

Se suele afirmar con vehemencia que "la droga no da voto", y por eso lo vemos como algo abstracto, de película, que está ocurriendo en otros países. Probablemente la droga no da voto, pero tampoco deja que se desarrolle un país, que genere sus propias riquezas producto de una economía tradicional; sino por el contrario, es la consecuencia de una delincuencia organizada que actúa solo con el propósito de obtener riquezas sin importarle la salud, el bienestar económico y social de un pueblo o país.

Mientras no se tome en serio el problema de las drogas y entendamos que es uno de los fenómenos sociales más importantes en el mundo y generador de gran parte de la inseguridad en un país que actúa como un elemento trasversal, ocasionando conductas delictivas de mayores trascendencia, que impide cualquier iniciativa que se implemente con la finalidad de reducir la inseguridad; sin duda alguna no se está visualizando el problema en toda su extensión y mucho menos vamos a obtener los resultados deseados de reducir la criminalidad De aquí que sostener, como de hecho lo he oído en algunos expertos en el tema de la seguridad; que la inseguridad se fundamenta única y exclusivamente en la comisión de delitos comunes, sin que se incluya el temas de las drogas y se tomen de manera sostenida las medidas alternativas necesarias con el fin de abordarla de manera integral y paralela, es decir, las drogas en conjunto con los delitos comunes; cualquier iniciativa que se planifique al respecto, sin duda alguna van directo al fracaso.

La Comunidad Internacional percibe el tema de las drogas, como un fenómeno social contemporáneo que está acabando con gran parte de la humanidad y al cual no debemos perder de vista, sino todo lo contrario debemos estar atento de cómo se manifiesta y como extiende sus redes con único fin de crear violencia, desosiego y muerte. Quien o quienes traten de aislar el problema drogas, de cualquier otro hecho social, sin duda alguna está inmerso en una profunda y errada equivocación con consecuencias nefastas para una sociedad. Hoy más que nunca debemos tener una visión clara de lo que está ocurriendo en Venezuela en relación al tráfico de drogas, hoy más que nunca debemos entender que si no logramos detener el avance desmesurado y atropellador del negocio de las drogas, en un futuro muy cercano lo vamos a lamentar. Venezuela no lo merece ni tampoco los venezolanos. Asumámoslo como un derecho y un deber sagrado en beneficio de nuestros conciudadanos, es un reto que debemos de asumir porque después no habrá un mañana

El presente documento confirma que el fallecido Presidente Hugo Chávez, tenía
conocimiento que en el Aeropuerto Internacional de Maiquetía, se estaban
presentando situaciones irregulares relacionadas con drogas y actos de corrupción,
en las cuales están involucradas diversas autoridades policiales y civiles

REPUBLICA BOLIVARIANA DE VENEZUELA
PRESIDENCIA DE LA REPUBLICA
COMISION NACIONAL CONTRA EL
USO ILICITO DE LAS DROGAS

Caracas, 28 de Septiembre de 2004

N°-1858

Ciudadano
HUGO RAFAEL CHAVEZ FRIAS
Presidente de la República Bolivariana de Venezuela
Su Despacho.-

Tengo el honor de dirigirme a Ud., en la oportunidad de elevar a
su debido conocimiento lo siguiente:

Señor, Presidente, la suscrita ha venido recibiendo distintas
informaciones confidenciales y denuncias precedentes de fuentes de
inteligencia oficiales de la gravísima situación que está ocurriendo en
el Aeropuerto Internacional de Maiquetía, Denuncias que incluso se
han intensificado, de usuarios extranjeros, que reportan a esta
Comisión de constantes actos de corrupción de los cuales son objetos
por las distintas autoridades policiales y civiles.

Sin embargo, mi preocupación se centra en los problemas
relacionados con drogas acaecidos en el Aeropuerto Simón Bolívar.
Según las informaciones obtenidas en esta materia, tanto la Guardia
Nacional (GN), como el Cuerpo de Investigaciones Penales,
Científicas y Criminalísticas (CIPCC), la seguridad del Instituto
Autónomo del Aeropuerto Internacional de Maiquetía(IAAIM),
INTERPOL, empleados de las líneas aéreas y personas empleadas
por el aeropuerto en las áreas de servicio, están facilitando el
movimiento seguro de drogas y de personas. Debo señalas que las
acciones corruptas de éstas personas, que tienen totalmente
controlado el Aeropuerto Internacional, han dejado como resultado que
toneladas de drogas pasen a través del aeropuerto, además del
contrabando de bienes ilícitos al país, trafico de personas, logrando
comprometer las investigaciones y las detenciones de personas

29 SEP 2004   00003660

inocentes que nada tienen que ver con los hechos, siendo que los verdaderos culpables se encuentran en libertad.

Un ejemplo de lo anteriormente señalado, paso a describírselo a continuación:

a) El 27 de agosto de 2004, agentes de la DISIP con información de inteligencia procedente de la DEA, incautaron 50 Kg. de cocaína, que había sido introducido como carga a bordo de un avión de Iberia con destino a Madrid España. Se presume que los cuerpos policiales asignados en el aeropuerto de Maiquetía así como los empleados de Iberia y empleados de Seguridad del aeropuerto estaban protegiendo la cocaína y fue introducida por estas autoridades. Es importante destacar que son varias las oportunidades que la DEA y otros oficiales de enlace extranjeros han proporcionado información sobre supuestas drogas que van a hacer abordadas y trasladadas al exterior, conjuntamente con funcionarios de la Guardia Nacional y Cuerpo técnico de Investigaciones Penales Científicas y Criminalísticas. honestos que están cumpliendo cabalmente sus funciones, han hecho el intento de que estas autoridades policiales y civiles adscritas al aeropuerto le presten su colaboración para incautar los cargamentos antes de que llegaran a su destino, las autoridades aeroportuarias y policiales se los han impedido. Después se ha tenido conocimiento que la droga ha sido decomisada por las autoridades policiales extranjeras en el sitio de destino, como el caso de que la droga iba a España y en vista de que las autoridades venezolanas no quisieron actuar, el enlace policial de la embajada de España se comunicó con su país y el cargamento fue decomisado en Madrid, por las autoridades policiales españolas.

b) El 29 de Agosto de 2004, la DEA recibió informes confiables acerca de una organización de traficantes de drogas los cuales enviaron 23 Kg. de heroína desde el aeropuerto de Maiquetía a bordo de un avión de la Varig con destino a Sao Paulo Brasil, De acuerdo a los resultados de los trabajos de inteligencia efectuado por los propios organismos policiales internacional y nuestras propias fuentes de información nacional, los traficantes sobornaron a integrantes de cuerpos policiales venezolanos aeroportuarios con el fin de que permitiera el ingreso al avión de los pasajeros sin pasar la inspección de seguridad establecida. No obstante la situación planteada se informó a las autoridades brasileras de lo ocurrido y la droga fue decomisada a su llegada a Brasil.

c) El 31 de agosto del 2004 agentes de la DISIP estaban haciendo un seguimiento por informes de inteligencia trasmitida por la DEA a una investigación cuando llegaron a Maiquetía y encontraron infragantes a funcionarios de la Guardia Nacional (de resguardo nacional) y a un Fiscal del Ministerio Público en posesión de 500 Kg. de cocían y 70 Kg. de heroína en el área de carga de Aeropostal e Iberia. El resultado fue que se le negó el acceso a la DISIP al área de carga, sin embargo la DISIP aún ante el impedimento logró entrar y pudo constatar el procedimiento de drogas, no participó en el mismo porque supuestamente ya estaban la Guardia Nacional y el Fiscal del Ministerio Público, se habían hecho cargo de la investigación, sin embargo, debido a la imposibilidad de que la DISIP, pudieron dejar constancia del procedimiento que habían observado y por cuanto le faltaban recaudos, datos para concluir la investigación, se contactó a la Fiscalía directamente para obtener información y la Fiscalía informó que no tenían expediente alguno referente a ese caso y que la incautación no había sido reportada, como consecuencia de ésta situación, la Fiscalía inició una investigación por lo que la comisión de la DISIP que estuvo presente en la flagrancia, está declarando acerca de los hechos ocurridos en el aeropuerto Internacional de Maiquetía.

d) Así mismo el 31 de Agosto del año 2004, tres personas fueron detenidos en el aeropuerto Simón Bolívar, presuntamente por intentar transportar droga a Republica Dominicana a bordo de un avión de Aeropostal. Según las informaciones recabadas de trabajos de inteligencia el día de los hechos una organización dedicada al trafico de drogas en Venezuela entregó cuatro (4) maletas cargadas de drogas a integrantes de la Autoridad Policial del Aeropuerto y empleados del mismo. Las etiquetas de las maletas de estas tres personas antes mencionadas, fueron intercambiadas y puestas en las maletas cargadas de drogas. La DEA, recibió la información y la transmitió a las autoridades venezolanas, quienes han venido corroborando la información e identificando algunos miembros de la organización, así como la de algunos empleados e integrantes del Instituto Autónomo del Aeropuerto Internacional de Maiquetía, los cuales participaron directamente en el intercambio de las etiquetas de los equipajes y del paso de la droga.

e) El 01 de septiembre del 2004, por informaciones trasmitidas por la DEA, se incautó 50 KG de cocaína en un vuelo de Iberia y la DISIP pudo incautar 40 KG adicionales de cocaína bordo de un vuelo de Santa Bárbara, La droga fue enviada por la misma organización de traficantes que actúa en el aeropuerto con el apoyo y anuencia de las autoridades policiales y civiles adscritos o pertenecientes al aeropuerto Internacional Simón Bolívar.

f) El 12 de septiembre de 2004 fueron incautados 3.36 KG. De cocaína en Republica Dominicana a bordo de un vuelo de Aeropostal proveniente de Maiquetía. Debo señalar que regularmente la DEA está reportando esta irregularidad a las autoridades venezolanas. Y por lo general la Línea Aeropostal es la que aparece involucrada ya que se trata de la misma ruta. De igual manera, Iberia en la ruta Madrid España.

g) El 13 de septiembre del 2004, un cargamento de 400 Kg. de cocaína con las mismas marcar o etiquetas que normalmente se encuentran en las incautaciones efectuadas a bordo de los vuelos de aeropostal y que al parecer pertenecen a la misma organización, fueron puestas en varias cajas de computadoras, sin ser ocultadas. Esta cocaína fue enviada a bordo de un vuelo de una línea aérea mexicana y fue despachada en la misma área que se utiliza para la carga de aeropostal y Sta. Bárbara.

Quiero señalarle Sr. Presidente, que no todos los funcionarios de la Guardia Nacional, ni del Cuerpo Técnico de Investigaciones Científicas, Penales y Criminalísticas y la DISIP, están siendo utilizados por las organizaciones criminales para traficar drogas. Dentro de estas instituciones hay personas muy serias, honestas y muy profesionales, que están preparadas, por lo que esta sucediendo en Venezuela en relación al trafico de drogas y sobre todo lo que está ocurriendo en el aeropuerto Internacional Simón Bolívar puerta principal de entrada a nuestro país. Estos profesionales que trabajan adecuadamente para minimizar el trafico de drogas en Venezuela, no se les permite actuar en el aeropuerto, es decir, les han impedido efectuar sus labores de investigación, por los mismos integrantes de los cuerpos policiales que allí operan, se les ha prohibido el acceso a los testigos y a obtener las pruebas por parte de las autoridades aeroportuarias. El Instituto Autónomo del Aeropuerto Internacional de Maiquetía ahora rara vez graba o mantiene videos de su equipo sofisticado de vigilancia, cuando el propósito de tales equipos es precisamente grabar hechos delictivos en el aeropuerto. Cuando se tratan de solicitar estas cintas para los fines policiales y judiciales no existen, porque la cámara sorprendentemente dejó de funcionar o se les ha grabado por encima, o simplemente no les da la gana de entregarlo, pero por lo general hacen gala de los equipos de video que tienen, pero cuando se les solicita las grabaciones para fines legales, responden que el sistema no funciona. Para el caso de las personas que presuntamente son inocentes, se les ha pedido la colaboración y se niegan afirmando que ese día no funcionó el sistema.

Sr. Presidente, ante la insistencia de los cuerpos policiales nacionales y extranjeros, ante las autoridades aeroportuarias de que mejoren los controles de seguridad para evitar que la droga sean transportadas al exterior, que hagan una mejor supervisión de los funcionarios policiales y civiles que operan en el aeropuerto, que se permitan a los cuerpos policiales que están realizando una investigación con el apoyo de Policías Extranjeras, una mayor colaboración y cooperación, dentro de las instalaciones del aeropuerto que se mejore las áreas de seguridad del aeropuerto y por ende se revise el sistema de las cámaras de video, el ingreso de personas a las áreas de seguridad, el control y supervisión de las maletas al ingreso y egreso del aeropuerto, en fin una mayor y mejor cooperación y coordinación con los demás organismos policiales nacionales y extranjeros. La respuesta de las autoridades aeroportuarias de seguridad del aeropuerto fue revocar todos los pases de acceso al aeropuerto de algunos miembros diplomáticos y policiales de algunas embajadas y de agentes policiales no adscritos a dicha sede.

Sr. Presidente, nos preocupa el hecho de que esta situación vaya fuera de los de los canales regulares, ya que la misma esta degenerando en actos de corrupción mas allá de los ordinariamente sucede en un país. El problema de las drogas, se nos va a ir de las manos si no podemos coto a esta situación, no es posible que unos cuantos corrupto pongan en tela de juicio la honestidad e integridad de su gobierno en la visible posición de liderazgo que ha mantenido a nivel hemisférico en cuanto al decomiso de drogas. No es posible que tengamos que soportar que su gobierno como el país se les ponga en una situación de ilegalidad y por ende falta de cooperación en el tema de las drogas, que se de una idea falsa a la comunidad internacional de que estamos apoyando a las organizaciones de traficantes de drogas para que operen en nuestro país, y mas grave todavía que se de la falsa sensación a nivel internacional que nuestra economía se fundamenta en dinero ilegal producto de la comercialización de las drogas.

Señor Presidente, hoy estoy absolutamente segura y convencida de que podemos mejorar la situación, ya que de nuestro lado hay gente honesta que quiere actuar y debilitar el poderío que hasta ahora ha reinado en el país y en el aeropuerto de las organizaciones criminales que operan en el trafico de drogas. Funcionarios de la Guardia nacional y del Cuerpo Investigaciones Científicas penales y Criminalísticas, Disip, creen que en que se pueden lograr soluciones viables al problema de las drogas, sobre todo en el área represiva. Así mismo estoy absolutamente segura porque a sí me lo han dejado saber, los representantes de los enlaces policiales extranjeros de los distintas embajadas acreditados en el país, que están dispuestos a colaborar en todo lo que sea necesario y han ofrecido una cooperación técnica y financiera para ello. Esto nos debe llenar de orgullo, ya que ellos saben que hay una voluntad política y técnica de asumir el problema en toda su extensión. Con vocación de servicio y con una visión de país integrado y hacia unos mismos objetivos.

De aquí que le solicito Sr. Presidente, muy respetuosamente su oportuna intervención, a fin de evitar que nuestro país se convierta en un país productor de droga y de traficantes, en donde la injusticia, la incomprensión, la intolerancia y la desigualdad social impere por encima del Estado de derecho, en que hasta ahora hemos vivido. Es necesario, hacer una transformación total del aeropuerto de Maiquetía, porque la situación de corruptela ha llegado a tales extremos que parece un reino sin ley. Como Presidenta de la Comisión Nacional Contra el Uso Ilícito de las Drogas (Conacuid) u y organo rector en el tema de las drogas, le solcito su apoyo, para poder emprender una verdadera política en el área represiva, tal como me atribuye la ley, Es decir, tratar de lograr que los organismos policiales honestos que quieran un mejor país para ellos y sus hijos, emprendan una lucha feroz contra los traficantes de drogas que operan en el país, como para aquellos que colaboran con ellos, sacrificando al país, comprometiendo y colocandodolo en estándares internacionales de país que facilita o permite que se utilice su territorio para traficar drogas.

Sr. Presidente, se de su lucha emprendedora para evitar la corrupción en Venezuela y quiero decirle que cuente con la CONACUID para lograr el éxito deseado, ya en la parte que nos compete, estamos dispuestos a acompañarlo hasta el final. No podemos permitir que nuestro país y nuestro aeropuerto se convierta en un centro nacional e internacional de trafico y distribución de drogas ilícitas por estas razones, Sr. Presidente, estoy a su completa disposición, si Ud. quisiera ahondar en el tema y un vez mas reitérale mis sentimientos de estima y consideración.

Atentamente,

Dra. MILDRED CAMERO C.
Presidenta

El 4 de marzo del 2002, se crean dos unidades Especiales de Investigaciones, con autonomía funcional dentro de su ámbito técnico operativo de desempeño, conformadas una por la Guardia Nacional y la otra por el Cicpc, que trabajaran en coordinación e con la embajada británica y con la DEA, contando con la correspondiente intervención del Ministerio Público del Estado Venezolano.

REPUBLICA BOLIVARIANA DE VENEZUELA
PRESIDENCIA DE LA REPUBLICA
COMISION NACIONAL CONTRA EL
USO ILICITO DE LAS DROGAS

La Comisión Nacional Contra el Uso Ilícito de las Drogas de la República Bolivariana de Venezuela, en uso de las atribuciones conferidas por el Numeral 3 del Artículo 209 de la Ley Orgánica sobre Sustancias Estupefacientes y Psicotrópicas, y en ejecución de la Carta de Acuerdo suscrita por esta Comisión y la Embajada de los Estados Unidos de América en fecha 27 de Septiembre de 2001

CONSIDERANDO

Que es notoria la tendencia creciente en el ámbito internacional de la producción, demanda y tráfico ilícitos de sustancias estupefacientes y psicotrópicas.

CONSIDERANDO

Que Venezuela es vista en el mundo como un país de tránsito o puente para el tráfico internacional de drogas.

CONSIDERANDO

Que la insuficiencia de recursos humanos y técnicos no permite realizar un combate en igualdad de condiciones, contra los perpetradores de delitos relacionados con las drogas ilícitas.

CONSIDERNADO

Que frente al problema de la lucha contra las drogas se hace patente y manifiesta la necesidad de plantearse la cooperación internacional entre los países que se encuentran involucrados.

CONSIDERANDO

Que la República Bolivariana de Venezuela es suscriptora de la Estrategia Antidrogas en el Hemisferio, aprobada por la Comisión Interamericana Contra el Abuso de las Drogas CICAD-OEA en Buenos Aires, Argentina el 16 de Octubre de 1996.

CONSIDERANDO

Que reconocemos la necesidad de continuar fortaleciendo las medidas que el Estado Venezolano ha implementado con el fin de enfrentarse a las organizaciones criminales en la lucha antidrogas, manteniendo su soberanía y en aplicación del principio de la responsabilidad compartida de los Estados.

CONSIDERANDO

Que es de inobjetable apreciación los logros alcanzados por Unidades Especiales de Investigaciones Antidrogas auspiciadas por el Gobierno de los Estados Unidos de Norte América a través de sus embajadas y la Drugs enforcement Administration, en coordinación con los Gobiernos de países como Colombia, Perú, Bolivia, Ecuador, Panamá, República Dominicana y México.

CONSIDERANDO

Que dentro de este esquema de cooperación internacional se hace necesaria la creación en Venezuela de Unidades con el fin de implementar y desarrollar estrategias operativas de investigación e inteligencia policial, para tratar de lograr la disminución y erradicación del delito de tráfico de drogas en cualquiera de sus modalidades y delitos afines en Venezuela, dirigidos a su introducción en el mercado ilícito de los Estados Unidos de Norte-América.

RESUELVE

Se crean bajo la supervisión de la Comisión Nacional Contra el Uso Ilícito de las Drogas, dos (02) Unidades Especiales de Investigaciones, permanentes en el tiempo, con autonomía funcional dentro de su ámbito técnico operativo de desempeño, conformadas una por la Guardia Nacional y la otra por el Cuerpo Técnico de Investigaciones Penales Científicas y Criminalísticas, las cuales a tenor del principio de cooperación internacional trabajarán en coordinación e interrelación con la Drugs Enforcement Administration (DEA) en forma independiente cada una de ellas, contando con la correspondiente intervención del Ministerio Público del Estado Venezolano.

. Estas Unidades Especiales de Investigación, funcionarán como Centros de Inteligencia Especializados en la lucha Antidrogas.

Dado, firmado y sellado en la Sede de la Comisión Nacional Contra el Uso Ilícito de las Drogas, en Caracas a los 04 días del mes de Marzo del año 2002.

Dra. Mildred Camero
Presidente

3

En la presente carta, la Dra. Mildred Camero le sugiere al Comisario Puerta, que se reúna con el General Morgado, la Fiscalía y si era posible con el Coronel Jairo Coronel, con la finalidad de revisar los procedimientos policiales, la participación de los enlaces extranjeros y la actuación en los procedimientos con la presencia de fiscales y las actualizaciones respectivas del Poder Judicial y de este modo encontrar la mejor solución a los diversos hechos ocurridos.

CONFIDENCIAL

Presidencia de la República
Comisión Nacional Contra el Uso
Ilícito de las Drogas

Caracas, 30 de noviembre de 2004.

N₀ - 2 1 8 0

Ciudadano
Comisario General
NORMAN PUERTA
Director Nacional Contradrogas
Cuerpo de Investigaciones Científicas,
Penales y Criminalísticas
Su Despacho.-

Tengo a bien dirigirme a Usted, siendo la oportunidad para manifestarle mi apoyo incondicional en la loable labor que Usted y su equipo han venido realizando en el tema de las drogas. Sin embargo esta misiva tiene como finalidad expresarle mi preocupación por las desavenencias y obstáculos que ha venido presentado la Guardia Nacional, en relación a algunos procedimientos policiales efectuados por su equipo. En conversaciones con la Fiscalía he tenido conocimiento que los mismos han sido ejecutados de acuerdo a derecho; sin embargo he recibido algunas denuncias por parte de funcionarios de la G.N. adscritos al Comando Antidrogas de la G.N., en contra de su persona y del Comisario Juan de Castro, así como contra algunos funcionarios de la DEA. En tal sentido, a los fines de evitar cualquier incidente o confrontación en donde corra peligro tanto el procedimiento policial que se esté efectuando así como su misma seguridad, solicítole muy respetuosamente Comisario, que cualquier procedimiento que se haga acompañar de un Fiscal del Ministerio Público, extremando las medidas de seguridad si fuera el caso.

Lamento la redacción de esta Comunicación, pero lo que quiero es evitar confrontamiento entre organismos policiales y por ello sugiérole que se reúna con el General Morgado, la Fiscalía y si es posible que el Coronel Jairo Coronel esté presente, para que se revisen los procedimientos policiales, la participación de los enlaces extranjeros y la actuación en los procedimientos con la presencia de fiscales y las autorizaciones respectivas del Poder Judicial.

La Comisión está muy atenta de cómo se han venido desarrollando los hechos, y de allí mi preocupación para que la situación mejore, ya que de las desavenencias que surjan solo los traficantes de drogas se benefician.

Señor Comisario Puerta, sé del excelente trabajo que esta realizando y sepa que la Comisión está apoyándolo de manera total. Cualquier problema que se le presente no dude en requerirnos.

Una vez más le reitero mis sentimientos de alta estima y consideración.

Atentamente,

Drg. MILDRED CAMERO C.
Presidenta

Carta de Paul Abosamra, Director de la Oficina de la DEA a Dra. Mildred Camero, Presidente de CONACUID. En el siguiente escrito Abosamra, expone su preocupación por los actos delictivos que se estaban presentando en el Aeropuerto Internacional de Maiquetía, donde se relaciona directamente a la Guardia Nacional, el Cicpc, la Seguridad del Aeropuerto (IAAIM), INTERPOL, empleados de las líneas aéreas y demás trabajadores en las áreas de servicios.

U.S. Department of Justice

Drug Enforcement Administration

23 de septiembre de 2004

Dra. Mildred Camero
Presidente
CONACUID
Ciudad.-

Dra. Camero,

Aprovecho la presente para hacerle llegar un saludo y participarle de la siguiente situación la cual consideramos grave.

En el Aeropuerto Internacional Simón Bolívar Maiquetía existe una situación de corrupción. A través de los últimos años tanto la DEA como otros miembros policiales norte americanos así como policías extranjeros asignados a Venezuela han estado recibiendo información confiable acerca de la corrupción existente entre las autoridades del aeropuerto y sus empleados. Estos reportes revelan como los integrantes de la Guardia Nacional, la CICPC, la Seguridad del Aeropuerto (IAAIM), INTERPOL, empleados de las líneas aéreas y personas empleadas en el aeropuerto en las áreas de servicio están facilitando el movimiento seguro de drogas y de personas.

Trabajando con profesionales venezolanos que integran distintos cuerpos policiales hemos apresado y procesado a muchos integrantes de organizaciones de narcotraficantes que utilizaban el aeropuerto para sus actos delictivos. A la vez, hemos identificado numerosos miembros de los cuerpos policiales asignados al aeropuerto así como empleados del aeropuerto, los cuales prestan sus servicios para dichos actos delictivos. Las acciones corruptas de estas personas, los cuales literalmente tienen control del aeropuerto, ha dejado como resultado que toneladas de drogas pasen a través del aeropuerto, además del contrabando de bienes ilícitos al país, han comprometido investigaciones, y hasta son responsables por el encarcelamiento de víctimas inocentes debido a sus actividades.

Los ejemplos de las acciones delictivas de estos individuos son cuantiosas como para enumerar. Aunque estas actividades siempre han afectado negativamente las investigaciones de los cuerpos policiales venezolanos a través del tiempo han culminado en dos situaciones extremadamente serias y sensitivas. Estas situaciones irregulares son claramente demostradas en un lapso de diecisiete días los cuales le describo posteriormente.

El 27 de agosto de 2004, agentes de la DISIP informados por la DEA incautaron 50 kilogramos de cocaína la cual había sido introducida como cargo a bordo de un avión de Iberia con destino a Madrid, España. La DEA tiene razones para creer que dado a las acciones de los cuerpos policiales venezolanos asignados al Aeropuerto de Maiquetía así como empleados de Iberia y otros, que la cocaína estaba siendo protegida y fue introducida al avión por estas autoridades y empleados aeroportuarios. Debo recordarle vuelo de Santa Bárbara. Esta cocaína fue enviada por la misma organización y protegida por los mismos agentes corruptos.

El 12 de septiembre de 2004, 3.36 kilogramos de cocaína fueron incautados en Republica Dominicana a bordo un vuelo de Aeropostal proveniente del Aeropuerto Maiquetía. La oficina de la DEA regularmente reporta incautos hechos a bordo de aviones de Aeropostal en esta misma ruta.

El 13 de septiembre de 2004 un cargamento de 400 kilogramos de cocaína con las mismas marcas que el cargamento de 50 kilogramos de cocaína que se habían incautado del vuelo de Aeropostal. La cocaína fue puesta en varias cajas de computadoras sin ocultarla. La cocaína fue enviada a bordo de un vuelo de una línea aérea mexicana y fue despachada de la misma área utilizada por Aeropostal y Santa Bárbara.

Nos unimos a los diligentes profesionales de la Guardia Nacional, la CICPC, la DISIP y otros con una gran preocupación del desarrollo de estos sucesos los cuales han sido afectados negativamente por esta situación en el Aeropuerto de Maiquetía. Como antes mencionado las autoridades competentes de los cuerpos policiales que trabajan ardua mente para desmantelar organizaciones de narcotraficantes han sido impedidos de efectuar sus labores de investigación por mismos integrantes de sus cuerpos policiales. Les han prohibido el acceso a los testigos y a las evidencias por parte de integrantes de los cuerpos de seguridad del aeropuerto. Por ejemplo, la IAAIM rara vez graba o mantiene los videos de su equipo sofisticado de vigilancia, aunque el propósito de dicho equipo es grabar actos delictivos en el Aeropuerto. Cuando los funcionarios policiales han pedido las cintas de grabaciones les han respondido que estas cintas ya no existen o que se les ha grabado por encima o que la cámara en cuestión no esta funcionando.

Tanto otros colegas como mi persona hemos visitado las instalaciones de seguridad de IAAIM y nos han expresado su capacidad de monitoreo y vigilancia además de su capacidad de grabar cada esquina del aeropuerto. Pero al solicitar cualquier grabación tanto de parte de las autoridades policiales o de la nuestra, se nos responde que el sistema no funciona. Como un agente de quince años de experiencia en el campo policial se que no hay evidencia mas contundente que un video donde este grabado un individuo y sus acciones. En el caso de los tres inocentes antes mencionados esta evidencia claramente demostraría su inocencia e identificaría a los verdaderos culpables.

El martes, 21 de septiembre de 2004, sostuve una reunión con el Teniente Jorge A. González Vásquez, Director de Seguridad (IAAIM) para expresarle mis preocupaciones acerca de la situación en el Aeropuerto de Maiquetía y los sucesos que allí han transcurrido. También exprese mi descontento referente al negativo ante las solicitudes de oficiales policiales venezolanos de los videos. Le reitere la importancia que tenían esos videos para los fiscales y para exonerar a los tres inocentes en este asunto. Solicite al Teniente González su colaboración para esclarecer los hechos y poder hacer justicia referente a los tres ciudadanos arrestados e imputados erróneamente. Igualmente solicite su colaboración en mejorar la seguridad en el Aeropuerto de Maiquetía. Verbalmente el Teniente González estuvo de acuerdo. Posteriormente he sido informado que el Teniente González revoco todos los pases de acceso al aeropuerto de los miembros de la Embajada de EE.UU. incluyendo a los agentes policiales de esta sede.

que la DEA en dos oportunidades le ha proporcionado información a las autoridades locales no asignadas al Aeropuerto de Maiquetía, los cuales al hacer el intento de incautar esos dos cargamento, las autoridades aeroportuarias se lo impidieron. Estos dos cargamentos llegaron a su destino, Madríd y cantidades significativas de cocaína fueron incautadas por la policía española.

El 29 de agosto de 2004, la DEA recibió información confiable acerca de una organización de narcotraficantes los cuales acababan de enviar 23 kilogramos de heroína desde el Aeropuerto Maiquetia a bordo de un avión de la Varig con destino a Sao Paulo, Brasil. Según la información recibida, esta organización de narcotraficantes había sobornado a integrantes del cuerpo policial aeroportuario para que facilitaran el abordaje de dos pasajeros sin pasar la inspección de seguridad establecida. En esta ocasión la DEA notifico a las autoridades brasileras los cuales incautaron la droga a su llegada a Brasil.

El 31 de agosto de 2004, agentes de DISIP en un seguimiento a una investigación conjunta con la DEA, llegaron a Maiquetía y encontraron a integrantes de el cuerpo policial asignado al aeropuerto y un Fiscal en posesión de 500 kilogramos de cocaína y 70 kilogramos de heroína en el área de carga de Aeropostal e Iberia. Los agentes de la DISIP se le fueron negado acceso al área de carga. El Comisario de la DISIP aun ante este impedimento entro y pudo constatar el procedimiento de las drogas.
Varios días mas tarde la DEA recibió información confiable que autoridades asignadas al Aeropuerto estaban celebrando el envío de un cargamento de similar cantidad a otro país. Debido a la imposibilidad de la DISIP a recaudar datos para la investigación en forma de fotos, reportes, etc. Contactamos a la Fiscalía directamente para conocer el estatus de este caso. La Fiscalía nos informo que no tenían expediente alguno referente a este caso y que dicha incautación nunca fue reportada. Como consecuencia la Fiscalía a iniciado una investigación e integrantes de la DISIP han testificado acerca de los eventos transcurridos en el Aeropuerto de Maiquetía.

También el 31 de agosto de 2004 tres individuos fueron arrestados en el Aeropuerto de Maiquetía con cargos de intentar transportar drogas a Republica Dominicana a bordo de un avión de Aeropostal. La DEA ha recibido información confiable que estas tres personas de ciudadanía norteamericana, venezolana y dominicana respectivamente son inocentes de estos cargos. El día del suceso una organización narcotraficante entrego cuatro maletas cargadas de droga a integrantes de la autoridad policial del Aeropuerto y empleados del mismo. Las etiquetas de las maletas de estas tres personas antes mencionadas fueron intercambiadas y puestas a las maletas cargadas de droga. La DEA ha pasado todos los detalles pertinentes a este caso a las autoridades competentes. Los esfuerzos de las autoridades venezolanas policiales han corroborado la información y han procedido a presentar información exculpatoria referente a estas tres victimas.
Adicionalmente, hemos identificado a los miembros de esta organización narcotraficante así como algunos de los integrantes de las autoridades aeroportuarias y empelados como también integrantes de IAAIM, los cuales aseguraban el paso de ilícito de drogas.

El 01 de septiembre de 2004, la DEA para el adelantamiento de la investigación que condujo al anteriormente mencionado incauto de 50 kilogramos de cocaína de un vuelo de Iberia, la DISIP pudo incautar 40 kilogramos adicionales de cocaína a bordo de un

Nos preocupa el hecho que estas situaciones vayan mas halla de estos actos delictivos a oportunidades para el provecho de organizaciones terroristas las cuales aprovechen la debilidad en las medidas de seguridad. Debido a la cantidad de corrupción y los sucesos que obviamente afectan negativamente a nuestros países y sus ciudadanos, pongo a la orden nuestros deseos de colaborar en encontrar una solución viable para este problema. A pesar de que esta carta se refiere al desafortunado problema de la corrupción por parte de algunos integrantes de las autoridades policiales venezolanas así como de empleados ambos asignados al Aeropuerto de Maiquetía, quiero reiterarle que he tenido el honor de trabajar con numerosos miembros de la comunidad policial venezolana y me consta que son profesionales dedicados y siento el mas alto respeto hacia ellos. Ellos también han expresado su preocupación referente a esta situación y esperan conseguir una solución.

Sin más a que hacer referencia, me despido de UD,

Atentamente,

Paul J. Abosamra
Agregado a Cargo
DEA, Caracas, Venezuela

DFN:601-11.4

Este libro se terminó de imprimir
en el mes de Mayo de 2014
en los Talleres de Editorial Melvin,
Caracas, Venezuela